세종
한국어

익힘책

2A

문화체육관광부
국립국어원

최근 전 세계인이 접하는 한류 콘텐츠의 규모가 늘어나면서 한류 문화가 확산되고 있고, 그 결과로 한국어를 배우고자 하는 외국인 학습자의 기세가 매우 놀랍습니다. 세계 곳곳이 코로나19로 침체기를 겪던 2021년에도 한국어능력시험 응시자는 30만 명을 훌쩍 넘었으며, 문화체육관광부의 세종학당은 2007년 13곳에서 2022년에는 84개국 244개소로 증가하였습니다. 이러한 한류의 지속적인 확산을 뒷받침하기 위해서는 한국어교육의 탄탄한 지원이 필요합니다.

한류 콘텐츠와 함께 성장하는 한국어교육의 토대를 다지기 위해, 문화체육관광부와 국립국어원은 2011년 처음 발간된 《세종한국어》를 새로 다듬기로 하였습니다. 2019년부터 기초 연구를 시작한 교재 개정 작업은 3년의 시간을 들여, 2022년 드디어 새로운 《세종한국어》를 펴내게 되었고, 이를 세종학당재단과 함께 알리게 되었습니다.

새롭게 개정된 《세종한국어》는 첫째, 세종학당 곳곳에서 한국어를 배우고자 하는 열의로 가득 찬 외국인 학습자 중심의 교재를 지향하였습니다. 둘째, 현지 세종학당의 학습 환경에 따라 유연하게 활용할 수 있는 맞춤형 교재로 정비되었습니다. 셋째, 한류 콘텐츠에 대한 외국인들의 관심을 내용에 반영함으로써, 한국어 공부에 대한 학습자의 부담을 낮췄습니다. 마지막으로 세종학당을 대표하는 표준 교재로서 구심점 역할을 담당하고, 이후의 한국어 학습을 위한 연계성도 잘 갖추었습니다.

세종학당은 한국어와 한국 문화로 한국과 세계를 연결하는 대한민국 대표의 국외 한국어교육 기관입니다. 국립국어원과 문화체육관광부는 앞으로도 세종학당재단과 협력하여 전 세계에서 한국어를 사랑하는 이들이 꿈을 이룰 수 있도록 지속적인 노력과 지원을 아끼지 않겠습니다.

끝으로 교재 개발을 위해 최선의 노력을 기울여 주신 연구·집필진과 출판사 관계자분들께 진심으로 감사의 말씀을 드립니다. 《세종한국어》의 새로운 출발과 함께 문화체육관광부와 국립국어원, 세종학당재단이 세계로 더 나아갈 수 있도록 여러분의 따뜻한 관심 부탁드립니다.

2022년 8월
국립국어원장 장소원

머리말

　　세종학당은 한국과 전 세계를 연결하는 한국어·한국 문화 보급 기관입니다. 이번에 개발한 교재는 상호 문화주의에 기반하여 한국어 학습에 대한 학습자의 흥미를 증진함으로써 한국어 의사소통 능력을 향상시키는 것을 목표로 하였습니다. 이를 위해 최근 한국의 상황을 적극적으로 반영하였고 최신 교수법을 구현할 수 있는 새로운 구성과 디자인을 적용하였습니다. 이를 통해 국외 한국어교육의 방향성을 새롭게 제시하고자 하였습니다. 개정《세종한국어》의 구체적 특징은 다음과 같습니다.

　　첫째, 세종학당의 표준 교육과정인 가형, 나형, 다형 전 과정에 탄력적으로 활용할 수 있도록 '기본 교재'와 '더하기 활동 교재'로 구분하였습니다. '기본 교재'에는 해당 등급에 필요한 핵심적인 내용을 담았으며, '더하기 활동 교재'에는 심화·확장이 필요한 언어 지식과 의사소통 활동을 담았습니다. 이를 통해 다양한 학습자 특성에 맞게 교재를 선택하여 사용할 수 있도록 하였습니다.

　　둘째, 효과적 교수·학습을 위해 단계별로 단원 구성을 차별화하였으며 학습 내용 또한 언어 발달 단계에 맞는 교수 학습 내용과 절차를 적용하였습니다. 특히 다양한 삽화와 시각적 자료를 적극적으로 제시하여 한국어 학습의 흥미를 극대화할 수 있도록 노력하였습니다.

　　셋째, 교재 전반에 생생한 한국 문화 내용을 배치하여 학습자들이 상호 문화적 관점에서 한국 문화를 이해하고, 궁극적으로는 자국의 문화와 한국 문화에 대한 바른 태도를 형성할 수 있도록 하였습니다.

　　넷째, 교재와 함께 '익힘책', '교사용 지도서', '어휘·표현과 문법', 수업용 PPT와 같은 보조 자료들을 개발하여 교사·학습자의 요구에 맞게 교재를 활용할 수 있도록 하였습니다.

　　이 교재를 기획하고 개발하는 모든 과정에 함께해 주신 국립국어원과 현지 학당과의 협조와 지원을 아끼지 않으신 세종학당재단, 그리고 학습자들이 재미있게 한국어를 배울 수 있도록 멋지게 디자인해 주신 공앤박출판사에 감사의 마음을 전하고 싶습니다. 끝으로 3년이라는 긴 시간 동안 오로지 한국어교육에 대한 열정으로 좋은 교재를 만들어 내기 위해 애써 주신 모든 집필진께 말로는 다할 수 없는 깊은 감사의 마음을 전합니다.

2022년 8월
저자 대표 이정희

차례

직업

1. 잘 듣고 다음과 같이 써 보세요. 그리고 알맞은 그림을 찾아 연결해 보세요.

1)　　대학교에 다녀요.　●

2)　　　　　　　　　　　●

3)　　　　　　　　　　　●

4)　　　　　　　　　　　●

5)　　　　　　　　　　　●

---

2. 알맞은 것을 골라 대화를 완성해 보세요.

| 헤어 디자이너 | 교사 | 프로그래머 | 제빵사 |

1)　가 : 무슨 일을 해요?

　　나 : 저는 프로그램을 만들어요. ＿＿＿＿＿＿＿＿＿＿＿＿＿. (이에요 / 예요)

2)　가 : 직업이 뭐예요?

　　나 : 저는 ＿＿＿＿＿＿＿＿＿＿＿. (이에요 / 예요) 미용실에서 일해요.

3)　가 : 무슨 일을 하고 싶어요?

　　나 : 한국어를 열심히 공부해서 ＿＿＿＿＿＿＿ (이 / 가) 되고 싶어요.

4)　가 : 무슨 일을 하고 싶어요?

　　나 : 저는 빵을 좋아해서 ＿＿＿＿＿＿＿ (이 / 가) 되고 싶어요.

(이)라고 하다

1. 빈칸을 채워 보세요.

명사	이라고 해요	명사	라고 해요	문장	라고 해요
유진	유진이라고 해요	마리	마리라고 해요	안녕하세요	'안녕하세요'라고 해요
재민		주노		감사합니다	
한복		불고기		미안합니다	
비빔밥		김치		사랑해요	
서울		한국어		좋아해요	

2. 다음과 같이 대화를 완성해 보세요.

(마리)

가 : 이름이 뭐예요?

나 : 저는 마리라고 해요.

1)

(주노)

가 : 이름이 뭐예요?

나 : 저는 _____.

2)

(유진)

가 : 이름이 뭐예요?

나 : 저는 _____.

3)

가 : 이건 한국어로 뭐라고 해요?

나 : 한국어로 _____.

4)

가 : 이건 한국어로 뭐라고 해요?

나 : 한국어로 _____.

5)

가 : 이건 한국말로 뭐라고 해요?

나 : 한국말로 _____.

6)

가 : 이건 한국말로 뭐라고 해요?

나 : 한국말로 _____.

–는

1. 빈칸을 채워 보세요.

동사	–는	동사	–는
먹다	먹는	보다	보는
받다		마시다	
읽다		만나다	
듣다		공부하다	
웃다		★만들다	만드는

'★(별표)'는 불규칙활용을 하는 단어입니다.

2. 다음과 같이 문장을 완성해 보세요.

좋아하다, 운동

→ 농구는 제가 좋아하는 운동이에요 .

1) 좋아하다, 음식

   → 불고기는 제가 .

2) 요즘 읽다, 책

   → 이 책은 제가 .

3) 자주 듣다, 음악

   → 이 노래는 제가 .

4) 공부하다, 세종학당

   → 여기는 제가 .

5) 살다, 집

   → 저기는 제가 .

6) 자주 마시다, 커피

   → 이거 한번 드셔 보세요. 제가 .

하는 일

1. 잘 듣고 빈칸에 알맞은 말을 써 보세요.

02

1) 반갑습니다. 주노 씨는 .... ?

2) 저는 .... 전공하는 학생이에요.

3) 아, 안녕하세요? 저는 ....

4) 저는 .... 안나 씨는 .... ?

5) 저는 .... 이름이 .... ?

2. 위에서 들은 문장을 대화 순서대로 써 보세요. 대화를 다시 들으면서 맞는지 확인해 보세요.

03

5)				2)

3. 들은 내용과 같으면 ○, 다르면 × 표시를 해 보세요.

1) 안나 씨는 대학생이에요.　　（　　　）
2) 주노 씨는 회사에 다녀요.　　（　　　）

4. 다음을 잘 듣고 따라 해 보세요.

04

1) 무슨 일
2) 서른 일곱

나의 소개

1. 다음을 잘 읽고 질문에 답하세요.

저는 안나라고 합니다. 여기는 제가 한국어를 공부하는 세종학당입니다. 저는 일주일에 세 번 세종학당에 갑니다. 제가 공부하는 교실은 2층에 있습니다. 교실은 조금 작지만 깨끗합니다. 교실 옆에는 휴게실도 있습니다. 휴게실에서 커피를 마실 수 있습니다. 그래서 수업이 끝난 후에 친구들과 같이 휴게실에서 커피를 마시고 이야기를 합니다. 세종학당에 도서관은 없지만 우리 교실에는 한국어 책이 많습니다. 친구들과 한국어를 배우는 것이 아주 즐겁습니다.

1) 안나 씨는 일주일에 몇 번 세종학당에 가요?

① 2번 　　　　② 3번 　　　　③ 4번 　　　　④ 5번

2) 안나 씨는 세종학당에서 뭐 해요? 맞는 것을 <u>모두</u> 고르세요.

①　　　　　　　　　②　　　　　　　　　③

3) 읽은 내용과 같으면 ○, 다르면 × 표시를 해 보세요.

① 교실은 크고 깨끗합니다. 　　　　　　　(　　)

② 안나 씨는 한국어를 배우는 것을 좋아합니다. 　(　　)

나를 소개하는 글쓰기

1. 알맞은 것을 찾아 문장을 완성해 보세요.

| 안나라고 하다 | 자주 듣다 | 한국어를 좋아하다 | 이야기하고 싶다 |

1) 저는 .... (-아요/어요) 만나서 반가워요.

2) 저는 .... (-아서/어서) 한국어를 배우고 있어요.

3) 제가 .... (-는) 노래는 한국 가수가 불렀어요.

4) 그 가수와 한국어로 .... (-아요/어요)

2. 다음 글을 읽고 빈칸에 알맞은 말을 넣어 다시 써 보세요.

> 안녕하세요? 저는 안나라고 해요. 만나서 반가워요. 저는 작년부터 한국어를 배우고 있어요. 저는 한국 배우를 좋아해서 한국어를 배워요. 제가 좋아하는 배우는 이민우예요. 그 배우와 한국어로 이야기하고 싶어요. 그래서 한국어를 열심히 공부하고 있어요. 저는 이번 방학에 한국에 갈 거예요. 그래서 더 열심히 한국어를 공부할 거예요. 감사합니다.

안녕하세요? 저는 .... (마리). 만나서 반가워요. 저는 .... (9개월 전)

한국어를 배우고 있어요. 저는 .... (한국 가수, 좋아하다) 한국어를 배워요.

제가 .... (좋아하다, 가수) 이민우예요.

그 가수에게 .... (한국어, 이메일을 쓰고 싶다)

그래서 한국어를 열심히 공부하고 있어요. 저는 ....

.... (다음 방학, 한국에 가다) 그래서 더 열심히 한국어를 공부할 거예요. 감사합니다.

여가 활동

1. 잘 듣고 다음과 같이 써 보세요. 그리고 알맞은 그림을 찾아 연결해 보세요.

1) _____음식을 만들어요._____   •

2) ....   •

3) ....   •

4) ....   •

5) ....   •

2. 다음과 같이 대화를 완성해 보세요.

> 가 : 토요일에 뭐 했어요?
>
> 나 : 카페에서 만화를 그렸어요.
>
> (만화를 그리다)

1) 가 : 휴일에 뭐 하는 것을 좋아해요?

　　나 : 친구와 맛있는 _____ (-는) 것을 좋아해요. (음식을 만들다)

2) 가 : 주말에 보통 뭐 해요?

　　나 : 책 읽는 것을 좋아해서 _____. (소설을 읽다)

3) 가 : 지난 주말에 집에서 뭐 했어요?

　　나 : 청소했어요. 방을 청소한 후에 _____

　　　　_____. (화장실을 청소하다)

4) 가 : 일요일에 뭐 했어요?

　　나 : 공원에 가서 _____. (풍경 사진을 찍다)

-거나, (이)나

1. 빈칸을 채워 보세요.

동사	-거나	명사	이나	명사	나
만들다	만들거나	김밥	김밥이나	돈가스	돈가스나
듣다		케이팝		노래	
가다		공원		카페	
그리다		그림		만화	
하다		등산		태권도	

2. 다음과 같이 대화를 완성해 보세요.

친구를 만나다,
운동 모임에 가다

가 : 휴일에 뭐 할 거예요?

나 : 친구를 만나거나 운동 모임에 갈 거예요 .

1) 쉬다, 운동하다

가 : 주말에 뭐 해요?

나 : .

2) 걸어서 가다,
자전거로 가다

가 : 어떻게 학교에 가요?

나 : .

3) 빵, 김밥

가 : 매일 아침에 뭐 먹어요?

나 : .

4) 카페, 편의점

가 : 어디에서 커피를 사요?

나 : .

5) 비빔밥, 김치찌개

가 : 점심에 뭐 먹을 거예요?

나 : .

6) 백화점, 도서관

가 : 내일 어디에 갈 거예요?

나 : .

–(으)ㄹ까요?

1. 빈칸을 채워 보세요.

동사 / 형용사	-을까요?	동사 / 형용사	-ㄹ까요?
먹다	먹을까요?	가다	갈까요?
좋다		보다	
받다		바쁘다	
★걷다	걸을까요?	시원하다	
★어렵다	어려울까요?	★만들다	만들까요?

2. 다음과 같이 대화를 완성해 보세요.

가 : 콘서트에 사람이 많이 올까요?

(오다)

나 : 유명한 가수의 콘서트니까 사람이 많이 올 거예요.

1) 가 : 한국은 지금 _____? (덥다)

   나 : 아니요. 한국은 지금 겨울이어서 추워요.

2) 가 : 부산에서 서울까지 _____? (멀다)

   나 : 조금 멀어요. 버스를 타고 네 시간쯤 걸려요.

3) 가 : 이 식당 음식이 _____? (맛있다)

   나 : 손님이 많으니까 맛있을 거예요.

4) 가 : 내일 백화점에 사람이 _____? (많다)

   나 : 주말이니까 사람이 많을 거예요.

5) 가 : 한국어 시험이 _____? (쉽다)

   나 : 열심히 공부했으니까 안 어려울 거예요.

주말에 하는 일

1. 다음을 잘 듣고 질문에 답하세요.

1) 주노 씨는 주말에 보통 뭐 해요?

① 만화를 그려요.
② 악기를 연주해요.
③ 만화책을 읽어요.
④ 풍경 사진을 찍어요.

2) 이번 주말에 두 사람은 뭐 해요?

①   ②   ③   ④

3) 다시 들으면서 빈칸에 알맞은 말을 써 보세요.

재민: 주노 씨, 주말에 보통 뭐 해요?

주노: ① _____ 한국 음식을 만들어요.

재민: 우와, 정말요? 저는 ② _____ 잘 못 그려요.

주노: 만화를 그리는 것은 쉽고 재미있어요. 주말에 같이 ③ _____?

재민: 정말 좋아요. 그런데 제가 잘 ④ _____?

주노: 아주 쉬워서 재민 씨도 잘 그릴 수 있어요. 이번 주말에 만나서 같이 ⑤ _____.

재민: 네. 좋아요.

4) 다시 들으면서 답을 확인해 보세요. 그리고 따라 해 보세요.

2. 다음을 잘 듣고 'ㄱ, ㄷ, ㅂ, ㅅ, ㅈ'이 [ㄲ], [ㄸ], [ㅃ], [ㅆ], [ㅉ]으로 발음되는 곳에 ○ 표시를 해 보세요. 그리고 따라 해 보세요.

03

> 맛있을 거예요.

1) 재민 씨도 잘 그릴 수 있어요.
2) 친구하고 등산을 할 거예요.
3) 이번 주말에는 비가 올 거예요.
4) 카페에 가서 책을 읽을 거예요.

친구 찾기 1

1. 다음을 잘 읽고 질문에 답하세요.

새 글

안녕하세요? 저는 마리라고 해요. 제 취미는 운동이에요. 그래서 보통 회사에 가기 전에 수영을 하고 회사에 가서 아침을 먹어요. 그리고 주말에는 자전거를 타거나 요가를 해요. 그런데 혼자 취미 생활을 하니까 심심해요. 저하고 취미가 같은 친구가 있을까요? 같이 운동하고 싶어요. 저와 같이 운동하고 싶은 사람은 저에게 연락 주세요.

1) 마리 씨는 회사에 가기 전에 뭐 해요?

① 요가를 해요. 　　② 수영을 해요.

③ 자전거를 타요. 　　④ 집에서 아침을 먹어요.

2) 마리 씨는 취미가 같은 친구와 뭘 하고 싶어 해요?

①   ②   ③   ④

3) 읽은 내용과 같으면 ○, 다르면 × 표시를 해 보세요.

① 마리 씨는 여행을 좋아해요. 　　(　　　)

② 마리 씨는 집에서 아침을 먹어요. 　　(　　　)

친구 찾기 2

1. 알맞은 표현을 찾아 문장을 완성해 보세요.

| 보고 싶다 | 영화관 | 영화를 보다 | 취미 생활을 하고 싶다 |

1) 제 취미는 _____ (-는) 것이에요.

2) 휴일에 보통 _____ ((이)나) 집에서 영화를 봐요.

3) 친구와 영화관에 가서 _____ (-(으)ㄴ) 영화도 보고 영화 이야기도 하고 싶어요.

4) 저와 같이 _____ (-(으)ㄴ) 사람은 저에게 연락 주세요.

2. 다음 글을 읽고 빈칸에 알맞은 말을 넣어 다시 써 보세요.

> 안녕하세요? 저는 민호라고 해요. 대학교에 다니는 학생이에요. 제 취미는 운동이에요. 그래서 주말에 헬스클럽에 가거나 공원에서 자전거 타는 것을 좋아해요. 그런데 더 많은 친구들하고 같이 취미 생활을 하고 싶어요. 저하고 운동하고 싶은 친구가 있을까요? 운동 모임에 가서 같이 농구나 축구를 하고 싶어요. 저와 같이 운동하고 싶은 사람은 저에게 연락 주세요.

안녕하세요? 저는 지은이라고 해요. _____ . (영어를 가르치다, 교사)

제 _____ . (취미, 독서) 그래서 주말에

_____ . (독서 모임에 가다, 집에서 소설책을 읽다) 그런데 더 많은 친구들하고 같이

_____ . (책을 읽다) 저하고 _____ (취미 생활을 하고 싶다)

친구가 있을까요? 독서 모임에 가서 같이

_____ . (좋은 책을 찾다, 책 이야기를 하다) 저와 같이

_____ (책을 읽고 싶다, 친구) 저에게 연락 주세요.

하루 일과

1. 잘 듣고 다음과 같이 써 보세요. 그리고 알맞은 그림을 찾아 연결해 보세요.

1) 아르바이트를 해요. •

2) •

3) •

4) •

5) •

---

2. 알맞은 것을 골라 대화를 완성해 보세요.

| 수업을 듣다 | 시험공부를 하다 | 이메일을 읽다 | 아르바이트를 하다 |

1) 가 : 출근해서 가장 먼저 뭐 해요?

　 나 : _____ .

2) 가 : 세종학당에서 뭐 해요?

　 나 : 한국어 _____ .

3) 가 : 수업이 끝난 후에 뭐 해요?

　 나 : 영화관에서 _____ .

4) 가 : 금요일에 시험이 있어요. 같이 _____ ?

　 나 : 좋아요. 그럼 내일 도서관에서 만나요.

마다

1. 다음과 같이 문장을 완성해 보세요.

> 아침마다 과일을 먹어요.
>
> (아침, 과일을 먹다)

1) 주말, 고향에 가다 ....

2) 일요일, 집 청소를 하다 ....

3) 방학, 여행을 가다 ....

4) 저녁, 운동하다 ....

2. 달력을 보고 대화를 완성해 보세요.

일	월	화	수	목	금	토
데이트	수업				청소	
		영화	세종학당	운동		등산
일	월	화	수	목	금	토
	수업			운동	청소	
데이트			세종학당	영화		등산

> 가: 언제 세종학당에 가요?

> 나: 수요일마다 세종학당에 가요.

1) 가: 언제 청소를 해요?

   나: ....

2) 가: 언제 등산을 해요?

   나: ....

3) 가: 언제 운동을 해요?

   나: ....

4) 가: 언제 데이트를 해요?

   나: ....

1. 빈칸을 채워 보세요.

동사/형용사	-을 때	동사/형용사	-ㄹ 때
먹다	먹을 때	가다	갈 때
읽다		보다	
있다		공부하다	
*춥다	추울 때	운동하다	
*듣다	들을 때	*만들다	만들 때

2. 다음과 같이 문장을 완성해 보세요.

> 출퇴근하다, 커피를 사다   → 저는 출퇴근할 때 커피를 사요 .

1) 한국어를 공부하다, 즐겁다   → 저는 _____ .

2) 날씨가 덥다, 아이스크림을 먹다   → 저는 _____ .

3) 시간이 있다, 한강공원에 가다   → 저는 _____ .

4) 버스를 타고 가다, 음악을 듣다   → 저는 _____ .

5) 케이팝(K-POP)을 듣다, 행복하다   → 저는 _____ .

6) 책을 읽고 싶다, 도서관에 가다   → 저는 _____ .

저녁 약속

1. 다음을 잘 듣고 질문에 답하세요.

02

1) 안나 씨는 내일 유진 씨와 뭘 할 거예요?

① 점심을 먹을 거예요.　　② 시험공부를 할 거예요.

③ 동아리 활동을 할 거예요.　　④ 아르바이트를 할 거예요.

2) 유진 씨는 요즘 수요일마다 뭘 해요?

①　　　　　②　　　　　③　　　　　④

3) 다시 들으면서 빈칸에 알맞은 말을 써 보세요.

안나: 유진 씨, 내일 같이 ① _____ ?

유진: 좋아요. 그런데 내일은 ② _____ 이 있어요.

안나: 그래요? 동아리 모임은 몇 시에 끝나요?

유진: 오후 2시쯤 끝날 거예요. 요즘 ③ _____ 동아리 활동을 해요.

안나: 아, 그럼 모임이 끝날 때쯤 ④ _____ .

유진: 네. 안나 씨, ⑤ _____ .

4) 다시 들으면서 답을 확인해 보세요. 그리고 따라 해 보세요.

2. 다음을 잘 듣고 [ㅈ], [ㅉ], [ㅊ]을 맞게 발음한 것에 √ 표시를 해 보세요. 그리고 따라 해 보세요.

03

1) 요즘 주말마다 동아리 활동을 해요.　　가 (　　) 나 (　　)

2) 오후 두 시쯤이요.　　가 (　　) 나 (　　)

3) 동아리 활동이 끝날 때 전화 주세요.　　가 (　　) 나 (　　)

4) 출퇴근할 때 커피를 사요.　　가 (　　) 나 (　　)

약속 정하기

1. 다음을 잘 읽고 질문에 답하세요.

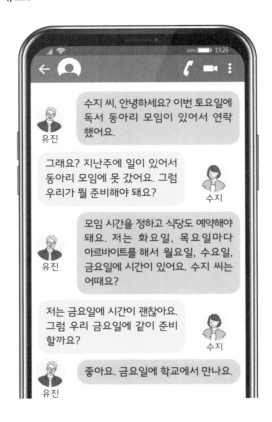

1) 두 사람은 만나서 뭘 할 거예요?

①   ②   ③   ④

2) 유진 씨는 언제 시간이 있어요? 다음과 같이 아래의 달력에 √ 표시를 해 보세요.

일	월	화	수	목	금	토
	√					

3) 읽은 내용과 같으면 ○, 다르면 × 표시를 해 보세요.

① 두 사람은 금요일에 만날 거예요.   (   )

② 수지 씨는 지난주에 동아리 모임에 갔어요.   (   )

요즘 하는 일

1. 알맞은 표현을 찾아 문장을 완성해 보세요.

힘들다	학교에 가다	주말	축구 동아리 활동을 하다

1) 저는 운동을 좋아해서 .... (-고 있어요)

2) 평일에는 수업이 있어서 .... (마다) **축구 동아리 활동을 해요.**

3) 토요일마다 친구들과 .... (-아서 / 어서) **축구를 해요.**

4) 축구를 하는 것은 .... (-지만) **정말 재미있어요.**

2. 다음 글을 읽고 빈칸에 알맞은 말을 넣어 다시 써 보세요.

> 저는 독서를 좋아해서 독서 동아리 활동을 하고 있어요. 시간이 있을 때마다 동아리 모임에 가요. 동아리 친구들을 만나서 같이 책 이야기를 해요. 이번 토요일에는 독서 동아리 행사가 있어서 친구들과 행사를 준비해야 해요. 모임 시간과 장소를 정하고 식당도 예약해야 해요. 저는 화요일하고 목요일마다 아르바이트를 해서 월요일, 수요일, 금요일에 동아리 친구들과 행사를 준비할 거예요.

저는 .... (한국 음식을 좋아하다, 한국 음식 동아리 활동을 하다)

.... (수업이 없다, 동아리 친구들을 만나다) **동아리 친구들을**

만나서 같이 .... (맛집에 가다)

.... (다음 주 금요일, 김치 만들기 행사가 있다) **친구들과**

행사 준비를 해야 해요. .... (사람들에게 연락하다, 김치를 준비하다)

저는 .... (수요일하고 목요일, 수업이 있다)

월요일, 화요일, 금요일에 친구들과 김치 만들기 행사를 준비할 거예요.

옷차림

1. 잘 듣고 다음과 같이 써 보세요. 그리고 그림을 보고 알맞은 표현을 찾아 연결해 보세요.

1) 장갑을 껴요. •

2) _____ •

3) _____ •

4) _____ •

5) _____ •

2. 알맞은 것을 골라 문장을 완성해 보세요.

| 입다 | 하다 | 끼다 | 신다 | 쓰다 |

1) 저는 회사에 갈 때 블라우스하고 치마를 _____ .

2) 산에 갈 때는 운동복에다가 등산화를 _____ .

3) 날씨가 많이 추울 때는 목도리를 _____ 장갑을 _____ .

4) 시내에서 놀 때는 티셔츠에다가 청바지를 입고 모자를 _____ .

–기로 하다

1. 다음과 같이 문장을 완성해 보세요.

> 친구를 만나기로 했어요.
>
> (친구, 만나다)

1) 쇼핑, 하다 ....

2) 영화, 보다 ....

3) 한국 음식, 먹다 ....

4) 시내, 놀다 ....

2. 다음 주 계획표를 보고 대화를 완성해 보세요.

월	화	수	목	금	토	일
운동 모임	동아리 모임	운동 모임	동아리 모임	재민 씨하고 영화	안나 씨하고 배드민턴	집에서 축구 경기

> 가 : 월요일에 뭐 할 거예요?
>
> 나 : 운동 모임을 하기로 했어요.

1) 가 : 목요일에 뭐 하기로 했어요?

   나 : ....

2) 가 : 금요일에 뭐 할 거예요?

   나 : ....

3) 가 : 토요일에 뭐 하기로 했어요?

   나 : ....

4) 가 : 일요일에 뭐 할 거예요?

   나 : ....

1. 다음과 같이 대화를 완성해 보세요.

1) 가 : 친구 결혼식에 갈 때 보통 어떤 옷을 입어요?

　　나 : 블라우스에다가 치마를 입어요 .... (블라우스, 치마)

2) 가 : 자전거를 탈 때 어떤 옷을 입어요?

　　나 : .... (티셔츠, 청바지)

3) 가 : 회사에 갈 때 보통 어떤 옷차림을 해요?

　　나 : .... (정장, 구두)

4) 가 : 날씨가 더울 때 보통 어떤 옷을 입어요?

　　나 : .... (티셔츠, 반바지)

5) 가 : 날씨가 추울 때 보통 어떤 옷을 입어요?

　　나 : .... (스웨터, 코트)

2. 다음과 같이 문장을 완성해 보세요.

친구 생일을 달력에다가
메모를 해요.

(달력, 메모)

1) 저는 꼭 .... 써요. (책, 이름)

2) .... 했어요. (공책, 숙제)

3) .... 올렸어요.
(에스엔에스(SNS), 사진)

4) .... 넣었어요. (가방, 책)

5) .... 넣어요.
(커피, 설탕하고 우유)

1. 다음을 잘 듣고 질문에 답하세요.

1) 안나 씨는 어떤 신발을 사려고 해요?

① 청바지에 어울리는 멋진 운동화 ② 청바지에 어울리는 멋진 구두
③ 원피스에 어울리는 예쁜 운동화 ④ 원피스에 어울리는 예쁜 구두

2) 안나 씨는 다음 주 일요일에 뭘 할 거예요?

① 집에 있을 거예요. ② 쇼핑을 할 거예요.
③ 결혼식을 할 거예요. ④ 결혼식에 갈 거예요.

3) 다시 들으면서 빈칸에 알맞은 말을 써 보세요.

마리: 안나 씨, 지금 ① _____?

마리: 네. ② _____ 좀 사려고요.

　　　다음 주 일요일에 ③ _____.

마리: 어떤 구두를 사려고 해요?

마리: ④ _____ 구두요.

마리: 그럼 이 구두는 어때요?

마리: 와, 정말 예뻐요! 저 이거 살 거예요.

4) 다시 들으면서 답을 확인해 보세요. 그리고 따라 해 보세요.

2. 잘 듣고 따라 해 보세요.

1) 안나 씨가 뭘 입었어요?
2) 짧은 원피스를 입었어요.
3) 어떤 옷을 입을 거예요?
4) 따뜻한 옷을 입을 거예요.

편지 읽기

1. 다음을 잘 읽고 질문에 답하세요.

✉

　　마크 씨, 잘 지내요? 저는 지금 한국에서 잘 지내고 있어요. 아직 한국어를 잘 못해서 좀 힘들지만 영어를 잘하는 친구들이 많이 생겼어요. 요즘은 월요일부터 금요일까지 학교에서 한국어를 공부해요. 한국어는 조금 어렵지만 재미있어요. 주말에는 공부를 안 하고 친구들하고 맛있는 음식을 먹으러 가요. 마크 씨는 아직 방학 계획이 없어요? 그럼 한국에 오세요. 그리고 오기 전에는 꼭 저한테 연락하세요. 제 친구들하고 아침부터 밤까지 같이 놀아요!

― 소피.

보내기　A ☺ ↓ ⓘ 🖼 ∞ ☆ 🗑

1) 소피 씨는 한국 생활에서 뭐가 힘들어요?

① 친구가 없어요.　　　　　　　　② 영어를 잘 못해요.
③ 한국어를 잘 못해요.　　　　　　④ 한국어 공부가 재미없어요.

2) 소피 씨의 한국 생활과 <u>다른</u> 것을 고르세요.

① 소피 씨는 마크 씨를 자주 만나요.
② 소피 씨는 학교에서 한국어를 배워요.
③ 소피 씨는 월요일에 학교에서 공부해요.
④ 소피 씨는 주말에 맛있는 음식을 먹으러 가요.

3) 읽은 내용과 같으면 ○, 다르면 × 표시를 해 보세요.

① 소피 씨는 주말에도 한국어 공부를 해요.　　（　　　）
② 마크 씨는 방학에 한국에 오기로 했어요.　　（　　　）

소개팅

1. 알맞은 표현을 찾아 문장을 완성해 보세요.

구두	블라우스	정장	운동화

1) 저는 소개팅을 할 때 멋있는 _____ (을 / 를) 입어요.

2) 저는 소개팅을 할 때 예쁜 _____ (에다가) 치마를 입어요.

3) 저는 소개팅을 할 때 원피스에다가 _____ (을 / 를) 신어요.

4) 저는 소개팅을 할 때 청바지에다가 _____ (을 / 를) 신어요.

---

2. 다음 그래프를 보면서 빈칸에 알맞은 말을 써 넣어 보세요.

결혼을 하고 싶어 하는 남자와 여자 300명에게 물었습니다.

Q1. 소개팅을 할 때 무엇이 가장 중요합니까?

여러 가지 대답이 있었습니다. 제일 중요한 것은 '옷'이었습니다(36%). 다음으로 중요한 것은 1) _____ (았습니다 / 었습니다)(26%). 그리고 '같이 가는 장소'도 중요했습니다(21%).

옷 36%
17%
같이 가는 장소 21%
재미있게 이야기하는 것 26%

Q2. 요즘은 소개팅을 할 때 보통 어떤 옷을 입습니까?

요즘에는 많은 사람들이 소개팅을 할 때 2) _____ ((이)나)
3) _____ (을 / 를) 입습니다.

예쁘지만 편한 옷 31%
정장 29%

1. 잘 듣고 다음과 같이 써 보세요. 그리고 그림을 보고 알맞은 표현을 찾아 연결해 보세요.
01

1) _____ 깨끗해요.　•

2) _____　•

3) _____　•

4) _____　•

5) _____　•

2. 집이 어때요? 다음과 같이 써 보세요.

| 좁다 | 넓다 | 어둡다 | 밝다 | 깨끗하다 | 지저분하다 | 짐이 없다/많다 |

1) 　2) 　3) 　4)

1) 좁고 어두워요 _____ .

2) _____ .

3) _____ .

4) _____ .

-기가 좋다

1. 다음과 같이 대화를 완성해 보세요.

> 넓다, 살다

가 : 집이 어때요?

나 : 넓어서 살기가 좋아요   .

1) 따뜻하다, 산책하다

가 : 오늘 날씨가 어때요?

나 :   .

2) 내용이 재미있다, 읽다

가 : 그 소설이 어때요?

나 :   .

3) 내용이 쉽다, 동생하고 같이 보다

가 : 그 만화 영화가 어땠어요?

나 :

                                           .

4) 단풍이 아름답다, 구경하다

가 : 가을에 어디에 갈까요?

나 : 산에 가요.

                                           .

2. 어울리는 말을 찾아 연결해 보세요. 그리고 '-기가 좋다, -기가 안 좋다'를 사용해서 문장을 완성해 보세요.

1) 봄에는 •

2) 겨울에는 •

3) 빵은 •

4) 커피는 •

5) 우유는 •

• 매운 음식을 먹을 때 마시다

• 밖에서 자전거를 타다

• 자기 전에 마시기 안 좋다

• 시간이 없을 때 먹다

• 밖에서 놀기 안 좋다

1) 봄에는 밖에서 자전거를 타기 좋아요   .

2)   .

3)   .

4)   .

5)

-지 않다, -지 못하다

1. '-지 않다'나 '-지 못하다'를 사용해서 대화를 완성해 보세요.

1) 가 : 재민 씨, 왜 점심을 안 먹었어요?

　　나 : 배가 안 고파서 _____.

2) 가 : 방 청소했어요?

　　나 : 아니요. 요즘 정말 바빠서 _____.

3) 가 : 오늘도 학교에 가요?

　　나 : 아니요. 오늘은 일요일이니까 _____.

4) 가 : 안나 씨, 어제 왜 학교에 안 왔어요?

　　나 : 아, 선생님. 제가 늦게 일어나서 _____.

2. 어울리는 답에 ○ 표시를 해 보세요.

1) 가 : 새집이 어때요?

　　나 : 회사하고 멀어서 회사에 다니기가 좋지 (않아요 / 못해요).

2) 가 : 한국 음식을 만들 수 있어요?

　　나 : 아니요. 저는 한국 음식을 만들지 (않아요 / 못해요).

3) 가 : 지금도 머리가 아파요?

　　나 : 아니요. 지금은 머리가 아프지 (않아요 / 못해요).

4) 가 : 같이 노래방에 갈까요?

　　나 : 미안해요. 오늘은 노래를 하고 싶지 (않아요 / 못해요).

새집 이야기

1. 다음을 잘 듣고 질문에 답하세요.

1) 재민 씨는 언제 이사했어요?

① 일요일　　　　　　　　② 월요일

③ 금요일　　　　　　　　④ 토요일

2) 재민 씨의 새집은 어때요?

① 짐이 많아요.　　　　　② 부엌이 넓어요.

③ 거실이 좁아요.　　　　④ 거실이 넓어요.

3) 다시 들으면서 빈칸에 알맞은 말을 써 보세요.

주노: 재민 씨, ① _____?

재민: 네. 짐이 적어서 이사하는 것이 ② _____.

주노: 제가 ③ _____ 미안했어요. 새집은 어때요? 좋아요?

재민: 네. 거실이 ④ _____ 사람들을 초대하기 좋아요.

주노: 와, 저도 가서 새집 구경하고 싶어요!

재민: 하하. 그럼 다음 주말에 한번 ⑤ _____.

4) 다시 들으면서 답을 확인해 보세요. 그리고 따라 해 보세요.

2. 잘 듣고 따라 해 보세요.

1) 집이 넓지 않아요.

2) 가게가 넓고 깨끗해요.

3) 도서관이 깨끗하고 넓어요.

4) 교실에 의자가 여덟 개 있어요.

집 소개 1

1. 다음을 잘 읽고 질문에 답하세요.

우리 집을 소개해요.

👤 미나의 블로그

저는 지금 학교 근처에서 혼자 살고 있어요. 제 집은 4층에 있어서 매일 계단을 많이 올라가고 내려가야 해요. 그렇지만 집이 아주 넓어서 살기 좋아요. 새집에는 방이 두 개 있고 조금 작은 거실도 있어요. 이사 전에는 집이 좁아서 친구들을 초대하지 못했지만 지금은 괜찮아요. 요즘에는 주말마다 집에서 친구들하고 맛있는 음식을 먹어요.

1) 이 사람은 지금 누구하고 같이 살아요?

    ① 언니하고 살아요.

    ② 친구하고 살아요.

    ③ 동생하고 살아요.

    ④ 같이 사는 사람이 없어요.

2) 이 사람의 집이 어때요? 맞는 것을 <u>모두</u> 고르세요.

    ① 학교에서 멀어요.

    ② 집이 아주 넓어요.

    ③ 방이 세 개 있어요.

    ④ 거실이 조금 좁아요.

3) 읽은 내용과 같으면 ○, 다르면 × 표시를 해 보세요.

    ① 이 사람은 매일 계단을 많이 올라가고 내려가야 해요.   (   )

    ② 이 사람은 주말마다 친구 집에 가서 맛있는 음식을 먹어요.   (   )

집 소개 2

1. 알맞은 표현을 찾아 문장을 완성해 보세요.

| 집이 좁다 | 방이 어둡다 | 방에 짐이 적다 | 방이 지저분하다 |

1) 저는 청소를 자주 해서 _____. (-지 않습니다)

2) 창문이 작아서 _____. (-습니다 / ㅂ니다)

3) 저는 필요 없는 물건을 자주 버려서 _____. (-습니다 / ㅂ니다)

4) _____ (-아서 / 어서) 넓은 새집으로 이사를 가고 싶습니다.

2. 다음 글을 읽고 빈칸에 알맞은 말을 넣어 다시 써 보세요.

저는 부모님과 누나, 그리고 귀여운 강아지하고 같이 아파트에서 살고 있어요. 우리 집에는 방이 세 개 있어요. 하나는 부모님 방이고 하나는 누나 방, 하나는 제 방이에요. 누나 방에는 짐이 많지만 제 방에는 짐이 많지 않아요. 그런데 누나는 매일 청소를 해서 방이 아주 깨끗하고, 저는 청소를 잘 하지 않아서 방이 조금 지저분해요. 그래도 저는 제 방이 더 좋아요.

저는 _____ (친구 한 명) 학교 근처에서 살고 있어요. 우리 집에는 방이 두 개 있어요.
하나는 _____. (제 방, 하나, 친구 방) 친구 방에는
_____ (짐이 많다) 제 방에는 _____ (짐이 많지 않다)
그런데 친구는 _____, (청소를 자주 하다, 방이 깨끗하다)
저는 _____. (청소를 잘 하지 않다, 방이 지저분하다)
그래도 저는 제 방이 더 좋아요.

장소와 물건

1. 잘 듣고 다음과 같이 써 보세요.

방에 거울이
놓여 있어요.

1) _____ 이 놓여 있어요.

2) _____ 이 걸려 있어요.

3) _____ 이 _____ 있어요.

4) _____ 가 _____ 있어요.

5) _____ 이 _____ 있어요.

2. 다음과 같이 대화를 완성해 보세요.

가 : 책이 어디에
있어요?

나 : 테이블 위에 놓여
있어요.

1) 가 : 옷이 어디에 있어요?

　　나 : 옷걸이에 _____ .

2) 가 : 텔레비전이 어디에 있어요?

　　나 : _____ 에 _____ .

3) 가 : 테이블 위에 뭐가 있어요?

　　나 : _____ .

4) 가 : 벽에 뭐가 있어요?

　　나 : _____ .

–(으)면서

1. 빈칸을 채워 보세요.

동사	-으면서	동사	-면서
먹다	먹으면서	보다	보면서
읽다		마시다	
입다		춤추다	
찍다		운동하다	
*듣다	들으면서	*만들다	만들면서

2. 어울리는 말을 찾아 연결하고 문장을 완성해 보세요.

1) 드라마를 보다 •   • 커피를 마시다

2) 공부를 하다 •   • 아르바이트를 하다

3) 대학교에 다니다 •   • 친구하고 이야기하다

4) 친구를 기다리다 •   • 책을 읽다

1) 드라마를 보면서 친구하고 이야기해요 .

2) .

3) .

4) .

3. 다음과 같이 대화를 완성해 보세요.

먹다, 우유, 마시다

가 : 지금 뭐 해요?

나 : 케이크를 먹으면서 우유를 마셔요 .

1) 만들다, 친구들, 기다리다

가 : 지금 뭐 해요?

나 : 음식을 .

2) 게임을 하다, 놀다

가 : 주말에 뭐 했어요?

나 : 친구하고 .

3) 듣다, 운동하다

가 : 주말에 뭐 했어요?

나 : 한강에서 음악을 .

1. 다음과 같이 대화를 완성해 보세요.

> 가: 이 음식이 정말 맛있지요?
>
> 나: 네. 정말 맛있어요.

1) 가: 저 모자 _____ ?

   나: 네. 정말 예뻐요.

2) 가: 그 영화 _____ ?

   나: 네. 정말 재미있었어요.

3) 가: 안나 씨를 _____ ?

   나: 네. 잘 알아요. 안나 씨는 제 친구예요.

4) 가: 이번 방학에 _____ ?

   나: 네. 한국에 가서 친구를 만나려고 해요.

---

2. 다음을 보고 질문을 완성해 보세요.

유진

1) 직업: 대학생
2) 전화번호: 010-1562-9122
3) 좋아하는 음식: 불고기
4) 취미: 게임

> 가: 유진 씨는 대학생이지요?
>
> 유진: 네. 맞아요. 저는 대학생이에요.

1) 가: _____ ?

   유진: 네. 맞아요.

2) 가: _____ ?

   유진: 네. 맞아요. 불고기를 좋아해요.

3) 가: _____ ?

   유진: 네. 시간이 있을 때마다 게임을 해요.

좋아하는 장소

1. 다음을 잘 듣고 질문에 답하세요.

1) 이 공원은 어떤 공원이에요? 맞는 것을 <u>모두</u> 고르세요.

① 쉬기가 좋은 공원이에요.　　　② 사람이 많은 공원이에요.

③ 분위기가 좋은 공원이에요.　　④ 꽃이 별로 없는 공원이에요.

2) 마리 씨는 언제 이 공원에 와요?

① 주말마다 와요.　　　　　　　② 퇴근할 때 와요.

③ 점심을 먹고 와요.　　　　　　④ 친구를 만날 때 와요.

3) 다시 들으면서 빈칸에 알맞은 말을 써 보세요.

　민수 : 이 공원 분위기가 정말 좋아요.

　마리 : 그렇죠? 예쁜 꽃도 많고 ① ＿＿＿＿＿＿＿＿＿＿＿＿＿＿＿

　　　　자주 오는 공원이에요.

　민수 : 사람도 ② ＿＿＿＿＿＿＿＿＿＿＿＿＿＿ 쉬기 좋아요.

　마리 : 맞아요. 저는 매일 점심을 먹고 ③ ＿＿＿＿＿＿＿＿＿

　　　　여기에서 산책을 해요.

　민수 : 아, 마리 씨 회사가 ④ ＿＿＿＿＿＿＿＿＿＿＿＿＿ ?

　마리 : 네. 저 건물이 제가 다니는 회사예요.

4) 다시 들으면서 답을 확인해 보세요. 그리고 따라 해 보세요.

2. 다음을 잘 듣고 'ㅈ'이 [ㅊ]으로 발음되는 곳에 ○ 표시를 해 보세요. 그리고 따라 해 보세요.

1) 그렇죠?

2) 맛이 괜찮지요?

3) 분위기가 좋지요?

4) 사람이 많지 않지요?

자주 가는 장소 1

1. 다음을 잘 읽고 질문에 답하세요.

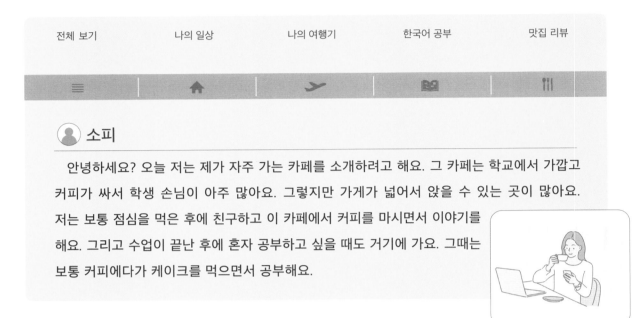

| 전체 보기 | 나의 일상 | 나의 여행기 | 한국어 공부 | 맛집 리뷰 |

소피

안녕하세요? 오늘 저는 제가 자주 가는 카페를 소개하려고 해요. 그 카페는 학교에서 가깝고 커피가 싸서 학생 손님이 아주 많아요. 그렇지만 가게가 넓어서 앉을 수 있는 곳이 많아요. 저는 보통 점심을 먹은 후에 친구하고 이 카페에서 커피를 마시면서 이야기를 해요. 그리고 수업이 끝난 후에 혼자 공부하고 싶을 때도 거기에 가요. 그때는 보통 커피에다가 케이크를 먹으면서 공부해요.

1) 이 카페는 어떤 곳이에요?

① 아주 작은 카페예요.
② 학교 근처에 있는 카페예요.
③ 손님이 많이 없는 카페예요.
④ 앉을 수 있는 곳이 별로 없는 카페예요.

2) 이 사람이 이 카페에서 하지 <u>않는</u> 일이 뭐예요?

① 공부를 해요.
② 점심을 먹어요.
③ 커피를 마셔요.
④ 친구하고 이야기해요.

3) 읽은 내용과 같으면 ○, 다르면 × 표시를 해 보세요.

① 이 카페의 커피는 싸요.   (   )
② 이 사람은 이 카페에 갈 때마다 케이크를 먹어요.   (   )

자주 가는 장소 2

1. 알맞은 표현을 찾아 문장을 완성해 보세요.

| 메뉴가 걸려 있다 | 테이블이 놓여 있다 | 의자가 놓여 있다 | 사진이 걸려 있다 |

1) 제가 자주 가는 식당에는 벽에 .... (-아요 / 어요)

2) 가게에는 많은 .... (-아요 / 어요)

3) 테이블마다 네 개의 .... (-아요 / 어요)

4) 멋있는 가수의 .... (-아요 / 어요)

2. 다음 글을 읽고 빈칸에 알맞은 말을 넣어 다시 써 보세요.

> 저는 시간이 있을 때마다 친구들과 운동을 해요. 그리고 운동을 한 후에는 같이 좋아하는 음식을 먹으러 가요. 보통 '서울집'이라는 한국 식당에 가서 비빔밥이나 불고기를 먹어요. 그곳은 테이블이 네 개 놓여 있는 좁은 식당이에요. 그렇지만 가게가 아주 깨끗하고 음식도 맛있어요. 그 식당에서 맛있는 음식을 먹으면서 친구들과 이야기하는 것이 정말 즐거워요.

저는 주말마다 친구와 낚시를 해요. 그리고 ....

.... (낚시를 하다, 같이 밥을 먹다) 보통 '부산집'이라는 한국 식당에 가서

.... (칼국수, 김치찌개를 먹다)

그곳은 많은 ....(테이블과 의자가 놓여 있다)

넓은 식당이에요. 음식도 .... (맛있다, 가게가 깨끗하다)

그 식당에서 ....

.... (친구와 낚시 이야기를 하다, 맛있는 음식을 먹다) 정말 즐거워요.

스트레스 증상

1. 알맞은 그림을 찾아 연결해 보세요.

1) 가슴이 답답하다 •

2) 눈이 붓다 •

3) 속이 안 좋다 •

4) 머리가 복잡하다 •

5) 얼굴에 뭐가 나다 •

2. 잘 듣고 다음과 같이 써 보세요. 🔊 01

가: 주말에 뭐 했어요?

나: 요즘 머리가 복잡해서 방 정리를 좀 했어요.

1) 가: 무슨 일 있어요?

　나: 어제 잠을 못 자서 _____.

2) 가: 스트레스를 받을 때 몸이 어때요?

　나: 저는 스트레스를 받을 때 _____.

3) 가: 어디가 안 좋아요?

　나: 요즘 _____.

4) 가: 어디에 가요?

　나: _____ 병원에 가요.

-(으)면

1. 빈칸을 채워 보세요.

동사 / 형용사	-으면	동사 / 형용사	-면
먹다	먹으면	가다	가면
많다		마시다	
좋다		아프다	
★듣다	들으면	피곤하다	
★쉽다	쉬우면	★힘들다	힘들면

2. 다음과 같이 문장을 완성해 보세요.

1) 머리가 아프다 • —————— • 잠을 자요

2) 덥다 • • 다음에 만나요

3) 오늘 바쁘다 • • 에어컨을 켜요

4) 잠을 못 자다 • • 케이팝(K-POP)을 불러요

5) 노래방에 가다 • • 얼굴에 뭐가 나요

6) 일찍 퇴근하다 • • 회사에 취직할 거예요

7) 한국어 공부가 끝나다 • • 친구를 만날 거예요

1) 머리가 아프면 잠을 자요
.

2)
.

3)
.

4)
.

5)
.

6)
.

7)
.

ㅅ 불규칙

1. 빈칸을 채워 보세요.

동사	-아요/어요	-(으)니까	-습니다/ㅂ니다
낫다	나아요		
붓다		부으니까	
젓다			젓습니다
짓다			
★씻다	씻어요		

2. 알맞은 것을 골라 문장을 완성해 보세요.

낫다	붓다	씻다	웃다	젓다	짓다

1) 누가 이름을 .... ? (-았어요 / 었어요)

2) 요리하기 전에 손을 .... (-(으)세요)

3) 사진을 찍을 때는 .... (-아 / 어 보세요)

4) 라면을 먹고 자면 얼굴이 .... (-아요 / 어요)

5) 생강차를 마시면 감기가 빨리 .... (-(으)ㄹ 거예요)

6) 따뜻한 물에 약을 넣고 잘 .... (-아서 / 어서 드세요)

1. 다음을 잘 듣고 질문에 답하세요.

   1) 주노 씨는 왜 스트레스를 받아요?

     ① 일이 많아서   ② 잠을 못 자서
     ③ 회의가 있어서   ④ 얼굴이 부어서

   2) 주노 씨는 스트레스를 받으면 어때요? 맞는 것을 <u>모두</u> 고르세요.

     ① 피곤해요.   ② 얼굴이 부어요.
     ③ 잠이 안 와요.   ④ 가슴이 답답해요.

   3) 다시 들으면서 빈칸에 알맞은 말을 써 보세요.

     재민 : 주노 씨, 커피를 또 마셔요? 많이 피곤하죠?

     주노 : 네. 요즘 ① _____ 너무 피곤해요.

     재민 : 무슨 일 있어요?

     주노 : 요즘 ② _____ 스트레스를 받아요.

            스트레스를 받으면 ③ _____ ④ _____.

     재민 : 어, 저도요. 저는 ⑤ _____ 가슴이 답답해요.

            우리 회의도 끝났으니까 오늘은 일찍 가서 쉬어요.

     주노 : 네. 그래요.

   4) 다시 들으면서 답을 확인해 보세요. 그리고 따라 해 보세요.

---

2. 다음을 잘 듣고 'ㅎ'가 [ㄴ]로 발음되는 곳에 ○ 표시를 해 보세요. 그리고 따라 해 보세요.

   1) 한국어 시험이 있죠?

   2) 요즘 일이 많아서 힘들죠?

   3) 한국 요리를 좋아하죠?

   4) 우리 내일 만나기로 했죠?

스트레스 이유와 증상

1. 다음을 잘 읽고 질문에 답하세요.

> ## 여러분은 스트레스를 받으면 어떻게 합니까?
>
> 저는 요즘 과제가 많아서 스트레스를 받습니다. 친구들과 같이 수업을 듣는 것은 재미있지만 과제를 하는 것은 정말 힘듭니다. 저는 과제가 많으면 항상 스트레스를 받습니다. 스트레스를 받으면 속이 안 좋고 가슴이 답답합니다. 그럴 때는 약을 먹고 푹 쉬면 좀 괜찮습니다. 여러분도 과제가 많으면 스트레스를 받습니까? 그리고 그럴 때는 어떻게 합니까?
>
> 안나 : 저도 과제가 많으면 스트레스를 받아요. 그럴 때는 친구들과 맛있는 음식을 먹으면 좀 괜찮아요.
>
> 수지 : 저는 스트레스를 받으면 고향에 있는 가족들과 전화를 해요. 그러면 기분이 좋아요.

1) 이 사람은 요즘 왜 스트레스를 받아요?

① 과제가 많아서   ② 음식을 많이 먹어서

③ 친구들과 수업을 들어서   ④ 속이 안 좋고 가슴이 답답해서

2) 이 사람은 스트레스를 받으면 어때요?

①   ②   ③   ④

3) 읽은 내용과 같으면 ○, 다르면 × 표시를 해 보세요.

① 안나 씨는 스트레스를 받으면 약을 먹고 푹 쉽니다.   (   )

② 수지 씨는 스트레스를 받을 때 가족들과 전화를 하면 기분이 좋습니다.   (   )

스트레스에 대한 글쓰기

1. 알맞은 표현을 찾아 문장을 완성해 보세요.

재미있다	일을 하다	수업이 끝나다	스트레스를 받다

1) 오전에는 _____ (-고) 오후에는 한국어 수업을 듣습니다.

2) 한국어 수업은 _____ (-지만) 숙제가 많아서 스트레스를 받습니다.

3) 저는 _____ (-(으)면) 잠이 안 오고 가슴이 답답합니다.

4) 한국어 _____ (-(으)ㄴ 후에) 친구들과 카페에서 이야기를 합니다.

2. 다음 글을 읽고 빈칸에 알맞은 말을 넣어 다시 써 보세요.

> 저는 요즘 오전에는 수업을 듣고 오후에는 아르바이트를 합니다. 아르바이트는 재미있지만 바빠서 스트레스를 받습니다. 그리고 시험 준비를 하지 못해서 가끔 힘들 때가 있습니다. 저는 스트레스를 받으면 가슴이 답답하고 속이 안 좋습니다. 그럴 때는 아르바이트를 마친 후에 친구들과 카페에서 이야기를 합니다. 그러면 좀 괜찮습니다. 여러분은 스트레스를 받으면 어떻게 합니까?

저는 요즘 오전에는 _____ (회사에서 일하다) 오후에는

_____ . (한국어를 배우다) 한국어를 배우는 것은 재미있지만

_____ . (시험이 있다, 스트레스를 받다)

그리고 _____ . (너무 피곤하다, 가끔 힘들 때가 있다)

저는 스트레스를 받으면 _____ . (얼굴이 붓다, 얼굴에 뭐가 나다)

그럴 때는 수업이 끝난 후에 _____ . (헬스장, 운동하다)

그러면 좀 괜찮습니다. 여러분은 스트레스를 받으면 어떻게 합니까?

1. 잘 듣고 다음과 같이 써 보세요. 그리고 알맞은 그림을 찾아 연결해 보세요.

1) 자주 웃어요. •   •

2) _____ •   •

3) _____ •   •

4) _____ •   •

5) _____ •   •

2. 알맞은 것을 골라 대화를 완성해 보세요.

| 야식을 먹다 | 음식을 골고루 먹다 | 컴퓨터를 오래 하다 | 가벼운 운동을 하다 |

1) 가 : 어떻게 하면 잠을 푹 잘 수 있어요?

나 : 잠이 안 오면 낮에 _____. (-아 / 어 보세요)

2) 가 : 어디 아파요?

나 : 어제 _____ (-아서 / 어서) 속이 안 좋아요.

3) 가 : 어제 자기 전까지 _____ (-아서 / 어서) 너무 피곤해요.

나 : 잠을 자기 전에는 컴퓨터를 하지 않는 게 좋아요.

4) 가 : 어떻게 하면 건강하게 살 수 있어요?

나 : _____ (-(으)면) 건강하게 살 수 있을 거예요.

좋아하는 음식만 먹으면 건강에 안 좋아요.

–는데 / (으)ㄴ데

1. 빈칸을 채워 보세요.

동사	–는데	형용사	–은데	형용사	–ㄴ데
먹다	먹는데	많다	많은데	싸다	싼데
읽다		좋다		크다	
가다		★춥다	추운데	고프다	
공부하다		★없다	없는데	아프다	
★만들다	만드는데	★재미있다	재미있는데	심심하다	

2. 다음과 같이 문장을 완성해 보세요.

1) 속이 좀 안 좋다 • ——————————— • 혹시 약이 있어요?

2) 날씨가 좋다 • • 먹어 보세요.

3) 교실이 춥다 • • 같이 갈까요?

4) 내일 시험이 있다 • • 아주 재미있어요.

5) 불고기를 만들었다 • • 창문을 닫을까요?

6) 한국어 공부를 하다 • • 공부를 못 했어요.

7) 콘서트 표가 있어요 • • 공원에서 자전거를 탈까요?

1) 속이 좀 안 좋은데 혹시 약이 있어요   ?

2)   ?

3)   ?

4)   .

5)   .

6)   .

7)   ?

–아 / 어 보다

1. 빈칸을 채워 보세요.

동사	-아 보세요	동사	-어 보세요	동사	해 보세요
앉다	앉아 보세요	먹다	먹어 보세요	하다	해 보세요
찾다		읽다		구경하다	
가다		마시다		여행하다	
만나다		배우다		운동하다	
일어나다		*듣다	들어 보세요	이야기하다	

2. 알맞은 것을 골라 문장을 완성해 보세요.

> 꽃을 사다　　　　우유를 마시다　　　　케이팝(K-POP)을 듣다
>
> 테니스를 배우다　　　　한국 음식을 먹다　　　　~~해외여행을 하다~~

> 가 : 이번 휴가 때 뭘 하면 좋을까요?
>
> 나 : 해외여행을 해 보세요. 한국은 어때요?

1)　가 : 운동을 배우고 싶은데 무슨 운동이 좋을까요?

　　나 : ＿＿＿＿＿＿＿＿＿＿＿＿＿＿＿＿. 재미있어요.

2)　가 : 요즘 잠이 잘 오지 않아서 고민이에요.

　　나 : 잠을 자기 전에 따뜻한 ＿＿＿＿＿＿＿＿＿＿＿.

3)　가 : 고향 친구가 한국으로 여행을 오는데 뭘 하면 좋을까요?

　　나 : 맛있는 ＿＿＿＿＿＿＿＿＿＿＿.

4)　가 : 친구 생일인데 무슨 선물을 살까요?

　　나 : ＿＿＿＿＿＿＿＿＿＿＿. 친구가 좋아할 거예요.

5)　가 : 한국어를 잘하고 싶어요.

　　나 : ＿＿＿＿＿＿＿＿＿＿＿. 한국어 공부에 도움이 돼요.

생활 습관 조언

1. 다음을 잘 듣고 질문에 답하세요.

1) 유진 씨는 왜 병원에 가요?

① 피곤해서   ② 속이 안 좋아서
③ 잠을 잘 못 자서   ④ 음식을 잘못 먹어서

2) 수지 씨는 어떤 방법을 추천했어요?

① 음식을 골고루 먹어 보세요.   ② 좋아하는 음식을 먹어 보세요.
③ 일찍 자고 일찍 일어나 보세요.   ④ 따뜻한 우유를 한 잔 마셔 보세요.

3) 다시 들으면서 빈칸에 알맞은 말을 써 보세요.

수지 : 유진 씨, 어디에 가요?

유진 : ① _____ 병원에 가요.

수지 : ② _____ ?

유진 : 아니요. 요즘 밤마다 ③ _____ 피곤하고 ④ _____ .

수지 : 야식을 자주 먹으면 건강에 안 좋아요.

　　　밤에 배가 고프면 ⑤ _____ .

　　　잠도 잘 오고 속도 괜찮을 거예요.

유진 : 그래요? 알겠어요. 고마워요.

4) 다시 들으면서 답을 확인해 보세요. 그리고 따라 해 보세요.

2. 다음을 잘 듣고 따라 해 보세요.

1) 가 : 어디에 가요?
　　나 : 병원에 가요.

2) 가 : 어디에 가요?
　　나 : 아니요. 안 가요.

추천하고 싶은 생활 습관

1. 다음을 잘 읽고 질문에 답하세요.

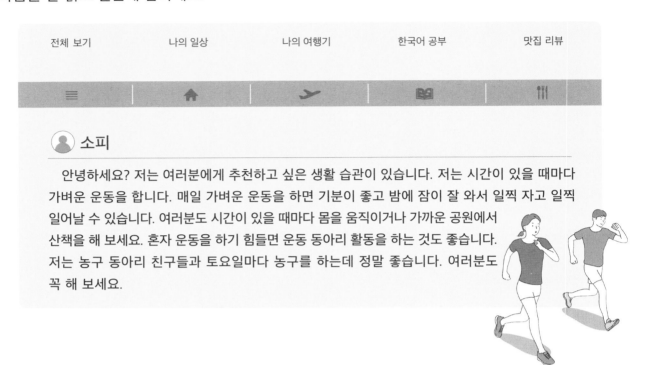

| 전체 보기 | 나의 일상 | 나의 여행기 | 한국어 공부 | 맛집 리뷰 |

👤 **소피**

　안녕하세요? 저는 여러분에게 추천하고 싶은 생활 습관이 있습니다. 저는 시간이 있을 때마다 가벼운 운동을 합니다. 매일 가벼운 운동을 하면 기분이 좋고 밤에 잠이 잘 와서 일찍 자고 일찍 일어날 수 있습니다. 여러분도 시간이 있을 때마다 몸을 움직이거나 가까운 공원에서 산책을 해 보세요. 혼자 운동을 하기 힘들면 운동 동아리 활동을 하는 것도 좋습니다. 저는 농구 동아리 친구들과 토요일마다 농구를 하는데 정말 좋습니다. 여러분도 꼭 해 보세요.

1) 이 사람이 추천하는 습관은 뭐예요?

① 공원에서 책을 보기　　　　② 매일 가벼운 운동하기
③ 친구들과 자주 만나기　　　④ 일찍 자고 일찍 일어나기

2) 이 사람이 그 습관을 추천하는 이유를 <u>모두</u> 고르세요.

① 　　　　　② 　　　　　③ 　　　　　④

3) 읽은 내용과 같으면 ○, 다르면 × 표시를 해 보세요.

① 혼자 하는 운동이 힘들 때에는 동아리 활동도 좋습니다.　　（　　　）
② 이 사람은 토요일마다 농구를 합니다.　　　　　　　　　　（　　　）

생활 습관을 추천하는 글쓰기

1. 알맞은 표현을 찾아 문장을 완성해 보세요.

산책을 하다	취미 활동을 하다	야식을 자주 먹다	한국어 시험이 있다

1) 요즘 ＿＿＿＿＿＿＿＿＿＿＿＿＿＿＿＿＿＿＿ (-아서 / 어서) 속이 안 좋습니다.

2) 스트레스를 받으면 공원에서 ＿＿＿＿＿＿＿＿＿＿＿. (-아 / 어 보세요)

3) 내일 ＿＿＿＿＿＿＿＿＿＿＿ (-는데 / (으)ㄴ데) 공부를 하지 않아서 걱정이에요.

4) 주말에는 ＿＿＿＿＿＿＿＿＿＿＿. (-아 / 어 보세요) 취미가 같은 친구를 만들 수 있어서 좋아요.

2. 다음 글을 읽고 빈칸에 알맞은 말을 넣어 다시 써 보세요.

> 마리 씨, 재민이에요. 요즘 일이 많아서 스트레스를 많이 받지요? 마리 씨가 스트레스를 많이 받아서 걱정이에요. 저는 스트레스를 받으면 잠시 회사 밖으로 나와서 산책을 하거나 커피를 마셔요. 그러면 기분이 좋아요. 또 퇴근 후에는 취미 활동을 해요. 회사 일을 생각하지 않을 수 있어서 좋아요. 마리 씨도 스트레스를 받으면 가벼운 운동을 하거나 취미 활동을 해 보세요. 그럼 기분이 좋을 거예요.

안나 씨, 유진이에요. ＿＿＿＿＿＿＿＿＿＿＿ (다음 주, 한국어 시험이 있다)

스트레스를 많이 받지요? 안나 씨가 스트레스를 많이 받아서 걱정이에요. 저는 스트레스를 받으면

＿＿＿＿＿＿＿＿＿＿＿. (친구를 만나다, 낮잠을 자다)

그러면 기분이 좋아요. 또 ＿＿＿＿＿＿＿＿＿＿＿. (주말, 동아리 활동을 하다)

＿＿＿＿＿＿＿＿＿＿＿ (시험을 생각하지 않다) 좋아요.

안나 씨도 스트레스를 받으면

＿＿＿＿＿＿＿＿＿＿＿. (친구를 만나다, 동아리 활동을 하다) 그럼 기분이 좋을 거예요.

음식과 주문

1. 그림을 보고 알맞은 표현을 찾아 연결해 보세요.

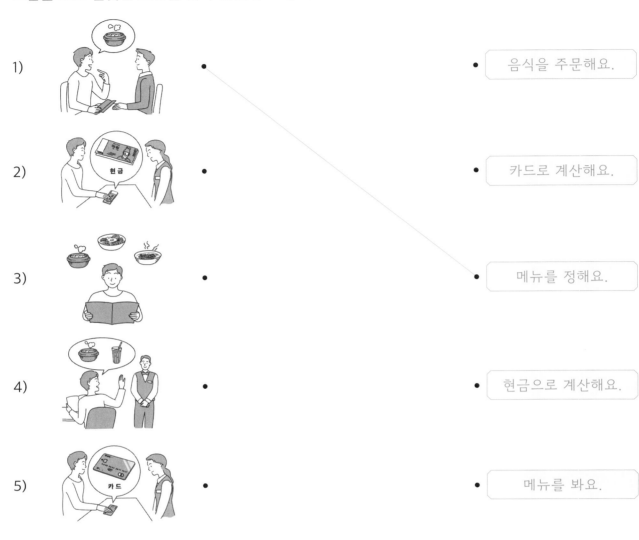

1) ●   ● 음식을 주문해요.

2) ●   ● 카드로 계산해요.

3) ●   ● 메뉴를 정해요.

4) ●   ● 현금으로 계산해요.

5) ●   ● 메뉴를 봐요.

2. 잘 듣고 다음과 같이 써 보세요. 🔊
01

> 가 : 뭐 주문할 거예요?
>
> 나 : 스파게티를 주문하려고 해요.

1) 가 : 뭐 시킬 거예요?

    나 : 순두부찌개를 ....

2) 가 : 메뉴를 .... ?

    나 : 네. 칼국수를 주문할 거예요.

3) 가 : 저는 매운 음식을 먹고 싶어요.

    나 : 이 가게 짬뽕은 ....

4) 가 : .... ?

    나 : 이 식당은 짜장면이 아주 맛있어요.

-는 / (으)ㄴ / (으)ㄹ 것 같다

1. 빈칸을 채워 보세요.

동사 / 형용사	-는 것 같다	형용사	-은 것 같다	형용사	-ㄴ 것 같다
먹다	먹는 것 같다	작다	작은 것 같다	짜다	짠 것 같다
오다		좁다		크다	
듣다		좋다		따뜻하다	
*만들다	만드는 것 같다	늦다		*멀다	먼 것 같다
재미있다		괜찮다		*춥다	추운 것 같다

동사	-은 것 같다	동사	-ㄴ 것 같다
먹다	먹은 것 같다	오다	온 것 같다
찍다		마시다	
*듣다	들은 것 같다	*만들다	만든 것 같다

동사 / 형용사	-을 것 같다	동사 / 형용사	-ㄹ 것 같다
먹다	먹을 것 같다	오다	올 것 같다
찍다	찍을 것 같다	마시다	마실 것 같다
*듣다	들을 것 같다	짜다	
*어렵다	어려울 것 같다	*만들다	만들 것 같다

2. '-는 / (으)ㄴ / (으)ㄹ 것 같다'를 사용해서 대화를 완성해 보세요.

1) 가 : 수지 씨가 일찍 올까요?

   나 : 아니요. 오늘도 좀 _____. (늦다)

2) 가 : 이번 시험은 어떨까요?

   나 : 좀 _____. (어렵다)

3) 가 : 마리 씨가 아침부터 계속 노래를 불러요.

   나 : 기분이 _____. (좋다)

4) 가 : 안나 씨가 교실에 없어요.

   나 : 집에 _____. (가다)

–는 게 어때요?

1. 알맞은 것을 골라 문장을 완성해 보세요.

먹어 보다	보다	열다	찍다

1) 더우면 창문을 좀 여는 게 어때요   ?

2) 심심하면 같이 영화를   ?

3) 이 불고기가 정말 맛있어요. 좀   ?

4) 저기 꽃이 정말 예뻐요! 저기에서 같이 사진을   ?

2. 다음과 같이 대화를 완성해 보세요.

1) 가 : 많이 걸어서 다리가 아파요..

　 나 : 그럼 저 의자에 좀 앉는 게 어때요   ? (앉다)

2) 가 : 어제 잠을 못 자서 피곤해요.

　 나 : 그럼 집에서 좀   ? (자다)

3) 가 : 찌개가 너무 짜요.

　 나 : 그럼 물을 좀   ? (넣다)

4) 가 : 배가 고파요.

　 나 : 그럼 우리 지금 점심을 먹으러

　　　 ? (가다)

메뉴 정하기 1

1. 다음을 잘 듣고 질문에 답하세요.

1) 두 사람은 지금 뭘 하고 있어요?

2) 들은 내용과 맞지 <u>않는</u> 것을 고르세요.

① 안나 씨는 짬뽕을 안 먹을 거예요.
② 마리 씨는 짜장면을 주문할 거예요.
③ 안나 씨는 매운 음식을 먹고 싶어 해요.
④ 두 사람은 다른 종류의 음식을 주문할 거예요.

3) 다시 들으면서 빈칸에 알맞은 말을 써 보세요.

마리 : 안나 씨, 뭐 주문할 거예요?

안나 : 글쎄요. ① _____ 뭐가 좋을까요?

마리 : 그럼 ② _____ ?

안나 : 아, 그런데 메뉴 사진을 보니까 짜장면도 맛있을 것 같아요.

마리 : 그럼 ③ _____ 안나 씨는 ④ _____ ?
⑤ _____ .

안나 : 와, 좋아요. 여기요! 짜장면하고 짬뽕 하나 주세요!

4) 다시 들으면서 답을 확인해 보세요. 그리고 따라 해 보세요.

2. 다음을 잘 듣고 'ㅅ'이 [ㅆ]으로 발음되는 곳에 ○ 표시를 해 보세요. 그리고 따라 해 보세요.

1) 칼국수를 먹어요.

2) 저는 대학생이에요.

3) 친구하고 약속을 했어요.

4) 재민 씨는 복숭아를 좋아해요.

메뉴 정하기 2

1. 다음을 잘 읽고 질문에 답하세요.

> 저는 어제 친구하고 한국 식당에서 저녁을 먹었어요. 그 식당에는 음식 종류가 많아서 메뉴를 정하는 것이 어려웠어요. 친구가 갈비탕을 추천했지만 저는 고기를 먹지 않아서 그 음식을 주문할 수 없었어요. 친구가 김치찌개도 추천했는데 저는 매운 음식을 좋아하지 않아서 그 음식도 시킬 수 없었어요. 그런데 메뉴 사진에 '떡국'이 있었어요. 아주 맛있을 것 같았어요. 그래서 그 음식을 주문했어요. 전혀 맵지 않고 아주 맛있었어요.

1) 이 사람의 친구가 추천한 음식을 <u>모두</u> 고르세요.

① 떡국   ② 갈비탕   ③ 불고기   ④ 김치찌개

2) 읽은 내용과 같으면 ○, 다르면 × 표시를 해 보세요.

① 이 식당은 음식의 종류가 적어요.   (   )
② 이 식당에서는 한국 음식을 팔아요.   (   )

3) 읽은 내용과 <u>다른</u> 것을 고르세요.

① 이 사람은 떡국을 먹었어요.
② 이 사람은 고기를 안 먹어요.
③ 이 사람은 매운 음식을 좋아해요.
④ 이 사람은 친구하고 식당에 갔어요.

식당에서 식사하기

1. 알맞은 표현을 찾아 문장을 완성해 보세요.

음식을 주문하다	카드로 계산하다	메뉴를 정하다	메뉴를 보다

1) _____ (-(으)면서) 주문할 음식을 정해요.

2) 사진을 보면서 먹고 싶은 _____ . (-아요 / 어요)

3) 점원에게 _____ . (-아요 / 어요)

4) 음식을 다 먹은 후에 _____ . (-아요 / 어요)

2. 다음 글을 읽고 빈칸에 알맞은 말을 넣어 다시 써 보세요.

> 지난주 일요일에 오랜만에 대학교 친구를 만나서 같이 식당에 갔어요. 주문을 하려고 테이블에 놓여 있는 메뉴를 봤어요. 그런데 음식 종류가 정말 많아서 메뉴를 정하는 것이 힘들었어요. 처음 보는 음식들도 많아서 메뉴 사진을 보거나 점원에게 질문하면서 음식을 주문했어요. 주문한 음식들은 다 맛있었어요. 친구와 이야기를 하면서 음식을 먹는 것이 정말 즐거웠어요. 식사가 끝난 후에 친구가 계산을 했어요. 다음에 다시 만나면 제가 계산을 하기로 했어요.

지난주 토요일에 오랜만에 가족들하고 같이 식당에 갔어요. 주문을 하려고 _____

_____ . (벽에 걸려 있다, 메뉴를 보다) 그런데 음식 종류가 정말 많아서

_____ (메뉴를 고르다) 힘들었어요. 먹고 싶은 음식들도 많아서

점원에게 질문하거나 가족들과 _____ . (이야기하다, 메뉴를 정하다)

주문한 음식들은 다 맛있었어요. 가족들과 _____

_____ (맛있는 음식을 먹다, 이야기하다) 정말 즐거웠어요.

식사가 끝난 후에는 _____ . (누나, 계산하다)

다음에 또 같이 식사할 때는 제가 계산을 하기로 했어요.

색과 모양

1. 색이 어때요? 다음과 같이 써 보세요.

검은색   까맣다 → 까매요 .

1) 파란색   _____ → _____ .

2) 노란색   _____ → _____ .

3) 흰색   _____ → _____ .

4) 빨간색   _____ → _____ .

---

2. 대화를 잘 듣고 다음과 같이 써 보세요. 🔊 01

> 가 : 이거 살까요?

> 나 : 아니요.
> 너무 커요.

1) 가 : 이 가방이 어때요?
   나 : _____ 좀 비싸요.

2) 가 : 옷 _____ ?
   나 : 좀 작아요.

3) 가 : 이 _____ 어때요?
   나 : _____ 예뻐요.

4) 가 : _____ ?
   나 : _____ .

ㅎ 불규칙

1. 빈칸을 채워 보세요.

형용사	-아요/어요	-아서/어서	-(으)ㄴ
까맣다	까매요		
파랗다		파래서	
빨갛다			빨간
노랗다			
하얗다			
*좋다	좋아요		

2. 그림을 보고 다음과 같이 써 보세요.

(노랗다)

_____노란_____ 우산이에요.

1) 머리가 _____.
(까맣다)

2)  _____ 바지를 사려고 해요.
(하얗다)

3) 바다가 _____.
(파랗다)

4)  _____ 장미를 선물해요.
(빨갛다)

3. 다음과 같이 문장을 완성해 보세요.

> 저는 이 노란 가방을 좋아해요.
>
> (노랗다)

1) 책을 가방에 _____ -아요/어요. (넣다)

2) 우리 집 강아지는 _____ -고 귀여워요. (하얗다)

3) 테이블 위에 꽃병을 _____ -았어요/었어요. (놓다)

4) 맑고 _____ -는/(으)ㄴ 하늘을 보고 싶어요. (파랗다)

– (으)면 좋겠다

1. 다음과 같이 대화를 완성해 보세요.

1) 가 : 그 옷이 어때요?

   나 : 디자인이 너무 복잡해요. 디자인이 좀 더 단순하면 좋겠어요   .

2) 가 : 그 신발이 어때요?

   나 : 너무 커요. 사이즈가 좀 더   .

3) 가 : 이 방이 어때요?

   나 : 너무 어두워요. 조금   .

4) 가 : 저 컴퓨터가 어때요?

   나 : 가격이 너무 비싸요. 좀 더   .

5) 가 : 그 치마가 어때요?

   나 : 너무 길어요. 조금   .

2. 다음과 같이 문장을 완성해 보세요.

1) 교실이 너무 더워요.

   → 창문을 좀 열었으면 좋겠어요   .

2) 농구 선수가 되고 싶은데 키가 너무 작아요.

   → 키가 좀 더   .

3) 내일 여행을 가는데 비가 올 것 같아요.

   → 내일 비가   .

4) 지난주에는 일이 많아서 쉴 수가 없었어요.

   → 이번 주에는 일이 좀   .

친구 선물 사기

1. 다음을 잘 듣고 질문에 답하세요.
02

1) 마리 씨는 어떤 꽃을 살까요?

① 빨간 꽃   ② 파란 꽃   ③ 노란 꽃   ④ 하얀 꽃

2) 들은 내용과 같으면 ○, 다르면 × 표시를 해 보세요.

① 오늘은 안나 씨 생일이에요.   (   )
② 안나 씨는 노란색을 안 좋아해요.   (   )

3) 다시 들으면서 빈칸에 알맞은 말을 써 보세요.

재민 : 마리 씨, ① .... 잠깐 구경 좀 할까요?

마리 : 네. 내일이 안나 씨 생일인데 ② ....

재민 : 마리 씨는 어떤 꽃이 제일 예쁜 것 같아요?

마리 : 저 노란색 꽃이요. 그런데 ③ ....

재민 : 안나 씨는 어떤 색을 좋아해요?

마리 : ④ ....

재민 : 그럼 ⑤ .... ?

마리 : 와, 정말 예뻐요. 안나 씨가 좋아할 것 같아요.

4) 다시 들으면서 답을 확인해 보세요. 그리고 따라 해 보세요.

2. 다음을 잘 듣고 [ㄲ]으로 발음되는 곳에 ○ 표시를 해 보세요. 그리고 따라 해 보세요.
03

1) 앉기 편한 의자예요.

2) 구두를 신고 회사에 가요.

3) 청바지에다가 신기 좋은 신발이에요.

4) 저는 의자에 앉고 언니는 소파에 앉았어요.

쇼핑하기 1

1. 다음은 마리 씨의 일기입니다. 잘 읽고 질문에 답하세요.

> 7월 10일 화요일
>
> 저는 요즘 회사에 갈 때 같은 옷을 자주 입어요. 그래서 오늘 안나 씨하고 백화점에 가서 정장과 구두를 샀어요. 옷과 신발 모두 색은 밝지만 디자인이 단순해서 회사에서 일할 때 입기 좋을 것 같아요. 안나 씨는 여행 때 입으려고 예쁜 원피스를 하나 샀어요. 길이가 긴 흰색 원피스인데 안나 씨에게 아주 잘 어울렸어요. 다음에 저도 그런 원피스를 하나 사면 좋겠어요. 안나 씨는 편한 운동화도 하나 사려고 했지만 사이즈가 맞지 않아서 못 샀어요.

(마리)

1) 안나 씨와 마리 씨는 무엇을 샀어요? 번호를 <u>모두</u> 써 보세요.

　• 안나 씨 (　　　　　　　　　)　　　　• 마리 씨 (　　　　　　　　　　)

　① 운동화　　　　② 정장　　　　③ 원피스　　　　④ 구두

2) 읽은 내용과 <u>다른</u> 것을 고르세요.

　① 마리 씨가 산 옷은 색이 밝아요.
　② 안나 씨가 산 옷은 길이가 짧아요.
　③ 안나 씨는 여행 때 입으려고 옷을 샀어요.
　④ 마리 씨는 일할 때 입으려고 옷을 샀어요.

3) 읽은 내용과 같으면 ○, 다르면 × 표시를 해 보세요.

　① 마리 씨는 원피스를 안 좋아해요.　　　(　　)
　② 안나 씨는 운동화를 사고 싶어 했어요.　(　　)

쇼핑하기 2

1. 알맞은 표현을 찾아 문장을 완성해 보세요.

사이즈가 작다	디자인이 단순하다	가격이 적당하다	색이 어둡다

1) 어제 옷을 샀는데 _____ (-아서 / 어서) 불편해요.

2) 회사에서 일할 때는 _____ (는 / -(으)ㄴ) 정장을 자주 입어요.

3) 저는 너무 비싼 물건을 사고 싶지 않아요. _____ (-(으)면) 좋겠어요.

4) 이 옷은 색이 밝지만 _____ (-아서 / 어서) 자주 입기 좋아요.

---

2. 다음 글을 읽고 빈칸에 알맞은 말을 넣어 다시 써 보세요.

> 저는 학교에 갈 때 청바지에다가 티셔츠를 자주 입어요. 그런데 편한 옷이 많지 않아서 요즘 학교에 갈 때마다 같은 옷을 자주 입었어요. 그래서 지난주에 백화점에 가서 옷을 샀어요. 저는 백화점에서 한 시간쯤 물건을 본 후에 청바지와 티셔츠를 샀어요. 그 옷들은 디자인이 단순해서 자주 입기 좋을 것 같았어요. 그리고 저는 너무 비싼 옷을 사고 싶지 않았는데 그 옷들은 가격도 적당해서 좋았어요. 이번에 쇼핑을 아주 잘한 것 같아요.

저는 회사에서 일할 때

_____. (색이 어두운 정장, 하얀 와이셔츠, 자주 입다) 그런데 정장하고

와이셔츠가 많지 않아서 요즘

_____. (출근하다, 매일 비슷한 옷을 입다) 그래서 지난주에 백화점에 가서

옷을 샀어요. 저는 백화점에서 한 시간쯤 물건을 본 후에

_____. (검은색 정장 하나, 하얀 와이셔츠 하나, 사다)

그 옷들은 _____ (아주 편하다, 일할 때 입다)

좋을 것 같았어요. 그리고 저는 _____ (디자인이 복잡한 옷)

사고 싶지 않았는데 그 옷들은 _____ (디자인이 단순하다)

좋았어요. 이번에 쇼핑을 아주 잘한 것 같아요.

여행 준비

1. 잘 듣고 다음과 같이 써 보세요. 그리고 알맞은 그림을 찾아 연결해 보세요.

1) 기차표를 예매해요.

2)

3)

4)

5)

2. 알맞은 것을 골라 대화를 완성해 보세요.

맛집을 알아보다 　　 여행지를 정하다

비행기표를 예매하다 　　 유명한 관광지를 알아보다

1) 가 : _____ ? (-았어요 / 었어요)

　　나 : 네. 이번 방학에는 한국에 가려고 해요.

2) 가 : 이번 휴가 때 한국으로 여행을 가는데 뭘 알아보면 좋을까요?

　　나 : 저는 한국 음식이 맛있었어요. _____. (-(으)세요)

3) 가 : _____ ? (-았어요 / 었어요)

　　나 : 아니요. 아직요. 한국 친구에게 유명한 장소를 물어보려고 해요.

4) 가 : 뭐 하고 있어요?

　　나 : 한국으로 가는 _____. (-고 있어요)

　　요즘 한국으로 여행 가는 사람이 많아서 예매를 일찍 해야 돼요.

-(으)ㄴ 적이 있다

1. 빈칸을 채워 보세요.

동사	-은 적이 있다	동사	-ㄴ 적이 있다
먹다	먹은 적이 있다	가다	간 적이 있다
받다		만나다	
읽다		기다리다	
★듣다	들은 적이 있다	여행하다	
★붓다	부은 적이 있다	★살다	산 적이 있다

2. 다음과 같이 대화를 완성해 보세요.

한국을 여행하다

가 : 한국을 여행한 적이 있어요   ?
나 : 네. 여행한 적이 있어요   .

1) 자전거를 타다

　　가 : _____?
　　나 : 네. _____.

2) 한복을 입다

　　가 : _____?
　　나 : 네. _____.

3) 휴대폰을 잃어버리다

　　가 : _____?
　　나 : 네. _____.

4) 얼굴이 붓다

　　가 : _____?
　　나 : 아니요. _____.

5) 케이팝(K-POP)을 듣다

　　가 : _____?
　　나 : 아니요. _____.

6) 불고기를 만들다

　　가 : _____?
　　나 : 아니요. _____.

동안

1. 다음과 같이 대화를 완성해 보세요.

　1)　가 : 몇 시간 동안 쇼핑을 해 봤어요?

　　　나 : 8시간 동안 쇼핑을 해 봤어요. .... (8시간)

　2)　가 : 얼마나 쉴 거예요?

　　　나 : .... (10분)

　3)　가 : 외국에서 몇 년 동안 공부할 거예요?

　　　나 : .... (1년)

　4)　가 : 며칠 동안 한국어 시험 준비를 했어요?

　　　나 : .... (4일)

　5)　가 : 배가 많이 고픈데 얼마나 기다려야 해요?

　　　나 : .... (30분)

---

2. '동안'을 사용해서 다음과 같이 대화를 완성해 보세요.

　1)　| 며칠, 관광지 |
　　　| 일주일, 여행했어요 |　→　가 : 며칠 동안 관광지를 여행했어요 ?
　　　　　　　　　　　　　　　　나 : 일주일 동안 여행했어요 .

　2)　| 얼마, 한국어 |
　　　| 일 년, 배웠어요 |　→　가 : .... ?
　　　　　　　　　　　　　　　　나 : ....

　3)　| 며칠, 학교 |
　　　| 4일, 안 갔어요 |　→　가 : .... ?
　　　　　　　　　　　　　　　　나 : ....

　4)　| 얼마, 아르바이트 |
　　　| 3주, 할 거예요 |　→　가 : .... ?
　　　　　　　　　　　　　　　　나 : ....

　5)　| 몇 시간, 엔 서울 타워 |
　　　| 2시간, 구경할 거예요 |　→　가 : .... ?
　　　　　　　　　　　　　　　　나 : ....

휴가 계획

1. 다음을 잘 듣고 질문에 답하세요.

1) 마리 씨는 휴가 동안 뭘 할 거예요?

① 집에서 쉴 거예요.　　　② 한국을 여행할 거예요.

③ 친구 집에 갈 거예요.　　④ 친구와 관광지에 갈 거예요.

2) 들은 내용과 <u>다른</u> 것을 고르세요.

① 마리 씨는 3일 동안 휴가예요.

② 재민 씨는 요즘 너무 피곤해요.

③ 재민 씨는 휴가 동안 집에서 쉴 거예요.

④ 마리 씨는 이번 주 월요일부터 수요일까지 휴가예요.

3) 다시 들으면서 빈칸에 알맞은 말을 써 보세요.

재민 : 마리 씨, 언제부터 휴가예요?

마리 : 다음 주 월요일부터 수요일까지 ① .... 휴가예요.

재민 : ② .... 뭐 할 거예요?

마리 : 한국에서 ③ .... 친구와 같이 ④ ....

구경하려고 해요. 재민 씨는요?

재민 : 저는 요즘 너무 피곤해서 이번 휴가 동안 ⑤ .... 맛있는 음식을

먹으려고 해요.

4) 다시 들으면서 답을 확인해 보세요. 그리고 따라 해 보세요.

---

2. 다음을 잘 듣고 받침 'ㄱ', 'ㄲ', 겹받침 'ㄺ'이 'ㄴ'을 만나 [ㅇ]으로 발음되는 곳에 ○ 표시를 해 보세요.
그리고 따라 해 보세요.

1) 요즘 제가 읽는 책이에요.

2) 좋은 여행지가 생각났어요.

3) 창문을 닦는 사람이 재민 씨예요.

4) 이번 휴가에는 국내 여행을 할 거예요.

추천하고 싶은 여행지

1. 다음을 잘 읽고 질문에 답하세요.

> ### 서울 여행은 이렇게 해 보세요.
>
> 여러분, 한국을 여행한 적이 있어요? 저는 지난 방학 동안 서울 여행을 했는데 정말 좋아서 여러분에게 추천을 하고 싶어요. 저는 5일 동안 서울을 여행했어요. 첫째 날에는 홍대에 가서 재미있는 공연을 보고, 둘째 날에는 동대문시장과 청계천을 구경했어요. 동대문 시장에서는 맛있는 음식을 많이 먹을 수 있어서 좋았어요. 셋째 날에는 명동과 엔 서울 타워에 갔는데 사람이 너무 많아서 조금 복잡했어요. 넷째 날에는 경복궁과 인사동에 갔는데 한국의 옛날 건물과 물건들을 볼 수 있어서 좋았어요. 마지막 날에는 북촌 한옥마을에 갔어요. 그런데 비행기를 타야 돼서 많이 구경하지 못했어요. 마지막 날은 비행기를 타야 되니까 공항에 가기 편한 홍대를 구경하는 게 좋을 것 같아요.

1) 이 사람이 여행한 곳은 어땠어요? 알맞지 <u>않은</u> 것을 고르세요.

① 홍대: 재미있는 공연이 있어요.
② 동대문시장: 맛있는 음식이 많아요.
③ 명동, 엔 서울 타워: 차가 많아서 조금 복잡해요.
④ 경복궁, 인사동: 한국의 옛날 건물과 물건들을 볼 수 있어요.

2) 이 사람은 서울에서 뭘 했어요? 순서대로 번호를 써 보세요.

(   ) → (   ) → (   ) → (   )

3) 다음 문장을 읽고 내용과 같으면 ○, 다르면 × 표시를 해 보세요.

① 안나 씨는 마지막 날 홍대 구경을 했어요. (   )
② 안나 씨는 일주일 동안 서울 여행을 했어요. (   )

숙소 후기 쓰기

---

1. 알맞은 표현을 찾아 문장을 완성해 보세요.

구경하다	이 호텔에서 묵다	바다 근처에 있다	맛있는 조식을 먹다

1) 이 호텔은 .... (-아서/어서) 호텔에서 보는 경치가 정말 아름다워요.

2) 호텔 주변에 유명한 여행지가 많아서 .... (-기)가 좋아요.

3) 조식이 아주 맛있어요. 이렇게 .... (-아/어) 본 적이 없어요.

4) 부산을 여행하고 싶은 사람은 ....

.... (-아/어 보세요)

---

2. 다음 글을 읽고 빈칸에 알맞은 말을 넣어 다시 써 보세요.

부산 호텔을 추천합니다.

이 호텔은 지하철역 근처에 있어서 다른 곳에 가기 편해요. 그래서 저는 부산에서 여행하는 동안 계속 이 호텔에서 묵었어요. 방은 조금 어두웠지만 넓고 깨끗했어요. 그리고 호텔 앞에 바다가 있어서 풍경이 아주 아름다웠어요. 또 직원들이 아주 친절해서 좋았어요. 제가 직원들에게 부산의 여행지나 교통편을 물어봤을 때 정말 친절하게 알려 줬어요. 부산 여행 계획이 있는 사람은 이 호텔에 한번 가 보세요.

이 호텔은 .... (바다 근처에 있다, 풍경이 아름답다)
그래서 저는 부산에서 여행하는 동안 계속 이 호텔에서 묵었어요. 방은

.... (조금 작다, 싸다, 깨끗하다) 그리고 호텔

.... (주변, 유명한 여행지가 많다,

구경하기가 좋다) 또 직원들이 아주 친절해서 좋았어요. 제가 직원들에게

....

(조식을 예약하는 방법) 물어봤을 때 정말 친절하게

알려 줬어요. .... (아름다운 풍경을 좋아하다)

사람은 이 호텔에 한번 가 보세요.

여행 경험

1. 잘 듣고 다음과 같이 써 보세요. 그리고 알맞은 그림을 찾아 연결해 보세요. 🔊 01

1) 멋있는 카페에 가요. •

2) •

3) •

4) •

5) •

---

2. 알맞은 것을 골라 대화를 완성해 보세요.

| 야경을 보다 | 음식이 입에 맞다 | 쉬기가 좋다 | 박물관에 가다 |

1) 가 : 여행 어땠어요? 음식은 괜찮았어요?

　　나 : 네. _____ (-아서 / 어서) 좋았어요.

2) 가 : 여행 가면 꼭 가는 곳이 있어요?

　　나 : 네. 저는 역사를 좋아해서 _____ (-는) 것을 좋아해요.

3) 가 : 부산은 어땠어요?

　　나 : 조용하고 바다가 있어서 _____ . (-았어요 / 었어요)

4) 가 : 서울에 가서 뭘 했어요?

　　나 : 밤에 엔 서울 타워에서 _____ . (-았어요 / 었어요) 정말 멋있었어요.

-아 / 어 보다

1. 빈칸을 채워 보세요.

동사	-아 봤어요	동사	-어 봤어요	동사	해 봤어요
살다	살아 봤어요	먹다	먹어 봤어요	공부하다	공부해 봤어요
찾다		마시다		여행하다	
가다		만들다		요리하다	
사다		배우다		운동하다	
만나다		★듣다	들어 봤어요	전화하다	

2. 다음과 같이 대화를 완성해 보세요.

1) 중국, 가다

가 : 중국에 가 봤어요 ?
나 : 네. 가 봤어요 .

2) 삼계탕, 먹다

가 : _____ ?
나 : 네. _____ .

3) 한국 커피, 마시다

가 : _____ ?
나 : 아니요. _____ .

4) 바다, 수영하다

가 : _____ ?
나 : 아니요. _____ .

5) 케이팝(K-POP), 듣다

가 : _____ ?
나 : 네. _____ .

6) 외국, 여행하다

가 : _____ ?
나 : 아니요. _____ .

7) 한국 친구, 사귀다

가 : _____ ?
나 : 네. _____ .

1. 빈칸을 채워 보세요.

동사	-은	동사	-ㄴ
먹다	먹은	보다	본
받다		마시다	
읽다		만나다	
★듣다	들은	공부하다	
★붓다	부은	★만들다	만든

2. 다음과 같이 대화를 완성해 보세요.

1) 가 : 이건 한국 여행 사진이에요? 어디에서 찍었어요?

     나 : 부산에서 찍은 사진이에요 _____ . (찍다, 사진)

2) 가 : 모자가 멋있어요. 새로 샀어요?

     나 : 네. 한국에서 _____ . (사다, 모자)

3) 가 : 케이크가 정말 맛있어요. 안나 씨가 만들었어요?

     나 : 아니요. _____

                                                      . (선물로 받다, 케이크)

4) 가 : 서울 경치는 어땠어요?

     나 : 남산에서 _____ 너무 멋있었어요. (보다, 야경)

5) 가 : 어제 _____ 이름이

        뭐였죠? (먹다, 한국 음식)

     나 : 아. 삼계탕이에요.

6) 가 : 어제 여자 친구를 만났어요?

     나 : 아니요. 어제 _____ 세종학당

        친구였어요. (만나다, 사람)

여행 이야기

1. 다음을 잘 듣고 질문에 답하세요.

1) 프랑스 여행은 어땠어요? 맞는 것을 <u>모두</u> 고르세요.

① 쉬기가 좋았어요.　　　　　　② 구경거리가 많았어요.

③ 분위기가 좋았어요.　　　　　④ 멋있는 카페가 많아서 좋았어요.

2) 마리 씨가 프랑스에서 한 일이 <u>아닌</u> 것을 골라 보세요.

　　　①　　　　　　　②　　　　　　　③　　　　　　　④

3) 다시 들으면서 빈칸에 알맞은 말을 써 보세요.

재민: 마리 씨, 프랑스 여행은 어땠어요?

마리: ①＿＿＿＿＿＿＿＿＿＿＿＿ 너무 좋았어요. ②＿＿＿＿＿＿＿＿＿＿＿＿.

재민: 다행이에요. 프랑스에서 뭐가 제일 좋았어요?

마리: 에펠탑에 가 봤는데, 거기에서 본 ③＿＿＿＿＿＿＿＿＿＿＿＿＿＿.

재민: 와, 멋있을 것 같아요. 또 뭘 해 봤어요?

마리: 박물관에서 ④＿＿＿＿＿＿＿＿＿＿＿＿. 그리고 친구의 집에 놀러 가서
　　　⑤＿＿＿＿＿＿＿＿＿ 도 많이 먹어 봤어요. 정말 맛있었어요.

4) 다시 들으면서 답을 확인해 보세요. 그리고 따라 해 보세요.

---

2. 다음을 잘 듣고 '의'를 어떻게 발음했는지 고르세요. 그리고 따라 해 보세요.

1) 의사　　　　① [의]　② [이]　③ [에]

2) 의자　　　　① [의]　② [이]　③ [에]

3) 회의　　　　① [의]　② [이]　③ [에]

4) 친구의 집　① [의]　② [이]　③ [에]

여행지에서 쓴 편지

1. 다음을 잘 읽고 질문에 답하세요.

> 주노 씨, 안나예요. 저는 지금 부산에 있어요. 제가 좋아하는 케이팝(K-POP) 가수가 부산에서 사진을 많이 찍었어요. 그래서 꼭 와 보고 싶었는데 정말 좋아요. 어제는 바닷가에 가 봤어요. 거기에서 수영을 하고 밤에는 야경도 봤는데 멋있었어요. 부산은 음식도 맛있고 멋있는 카페도 많아요. 오늘은 밥을 먹고 분위기가 좋은 카페에 갔어요. 거기에서 마신 커피가 정말 맛있었어요. 그리고 주노 씨에게 주려고 기념품도 샀어요. 다음에 주노 씨도 부산에 한번 와 보세요.

1) 안나 씨는 왜 부산에 가 보고 싶었어요?

  ① 부산 음식이 맛있어서
  ② 친구가 부산에 살고 있어서
  ③ 부산 바닷가의 경치가 아름다워서
  ④ 좋아하는 가수가 부산에서 사진을 찍어서

2) 안나 씨는 여행지에서 뭘 했어요? 순서대로 번호를 써 보세요.

    ①   ②   ③   ④

(   ) → (   ) → (   ) → (   )

3) 읽은 내용과 같으면 ○, 다르면 × 표시를 해 보세요.

  ① 부산에는 멋있는 카페가 많아요.   (   )
  ② 안나 씨는 서울에서 이 편지를 썼어요.   (   )

여행 후기 쓰기

1. 알맞은 것을 찾아 문장을 완성해 보세요.

경치가 아름답다	기념품을 사다	분위기가 좋다	음식이 입에 맞다

1) 저는 주말에 제주도에 다녀왔습니다. 산에서 본 _____. (-았습니다 / 었습니다)

2) 제주도에서 여러 음식을 먹어 봤는데 _____ (-아서 / 어서) 좋았습니다.

3) 제주도의 _____ (-(으)ㄴ) 카페에서 커피를 마셨습니다.

4) 친구들에게 주려고 가게에서 _____. (-았습니다 / 었습니다)

2. 다음 글을 읽고 빈칸에 알맞은 말을 넣어 다시 써 보세요.

> 저는 지난 주말에 서울에 다녀왔습니다. 제가 좋아하는 친구가 서울에 살아서 꼭 가 보고 싶었는데 정말 좋았습니다. 먼저 엔 서울 타워에 가 봤는데 거기에서 본 야경이 아주 아름다웠습니다. 또 여러 음식을 먹어 봤는데 음식이 입에 맞아서 좋았습니다. 다음 날에는 비빔밥을 먹고 분위기가 좋은 카페에서 커피를 마셨습니다. 그리고 친구들에게 주려고 선물도 샀습니다. 다음에 친구들하고 또 가고 싶습니다.

저는 _____ (작년, 제주도)에 다녀왔습니다. 제가 좋아하는 _____

_____ (배우, 제주도에서 드라마를 찍다) 꼭 가 보고 싶었는데 정말

좋았습니다. 먼저 _____ (한라산에 가다) 거기에서

_____. (보다, 경치가 아주 아름답다) 또 많은 음식을

먹어 봤는데 _____. (음식이 입에 맞다, 좋다) 다음 날에는

돼지고기를 먹고 _____ (분위기가 좋다, 카페)에서 커피를

마셨습니다. 그리고 친구들에게 주려고 _____. (기념품도 사다)

다음에 친구들하고 또 가고 싶습니다.

부록

/ 듣기 지문   / 모범 답안   / 자료 출처

듣기 지문 2A

주노: 아, 안녕하세요? 저는 주노라고 해요.

안나: 반갑습니다. 주노 씨는 무슨 일을 해요?

주노: 저는 회사에 다녀요. 안나 씨는 무슨 일을 해요?

안나: 저는 대학교에 다녀요. 경영학을 전공하는 학생이에요.

듣고 말하기　4번　9쪽

다음을 잘 듣고 따라 해 보세요.

1) [무슨닐]
2) [서른닐곱]

---

02 🔊　**등산을 하거나 운동 모임에 가요**

어휘와 표현　1번　12쪽

잘 듣고 다음과 같이 써 보세요. 그리고 알맞은 그림을 찾아 연결해 보세요.

1) 음식을 만들어요.
2) 배드민턴을 쳐요.
3) 악기를 연주해요.
4) 스포츠 경기를 봐요.
5) 만화를 그려요.

듣고 말하기　1번　15쪽

다음을 잘 듣고 질문에 답하세요.

재민: 주노 씨, 주말에 보통 뭐 해요?

주노: 만화를 그리거나 한국 음식을 만들어요.

재민: 우와, 정말요? 저는 만화를 좋아하지만 잘 못 그려요.

주노: 만화를 그리는 것은 쉽고 재미있어요. 주말에 같이 만화를 그릴까요?

재민: 정말 좋아요. 그런데 제가 잘 그릴 수 있을까요?

주노: 아주 쉬워서 재민 씨도 잘 그릴 수 있어요. 이번 주말에 만나서 같이 만화를 그려요.

재민: 네. 좋아요.

듣고 말하기　2번　15쪽

다음을 잘 듣고 'ㄱ, ㄷ, ㅂ, ㅅ, ㅈ'이 [ㄲ], [ㄸ], [ㅃ], [ㅆ], [ㅉ]으로 발음되는 곳에 ○ 표시를 해 보세요. 그리고 따라 해 보세요.

1) 재민 씨도 잘 그릴 수 있어요.
2) 친구하고 등산을 할 거예요.
3) 이번 주말에는 비가 올 거예요.
4) 카페에 가서 책을 읽을 거예요.

---

01 🔊　**저는 프로그램 만드는 일을 해요**

어휘와 표현　1번　6쪽

잘 듣고 다음과 같이 써 보세요. 그리고 알맞은 그림을 찾아 연결해 보세요.

1) 대학교에 다녀요.
2) 한국어를 가르쳐요.
3) 빵을 구워요.
4) 프로그램을 만들어요.
5) 미용실에서 일해요.

듣고 말하기　1번　9쪽

잘 듣고 빈칸에 알맞은 말을 써 보세요.

1) 안나: 반갑습니다. 주노 씨는 무슨 일을 해요?
2) 안나: 저는 대학교에 다녀요. 경영학을 전공하는 학생이에요.
3) 주노: 아, 안녕하세요? 저는 주노라고 해요.
4) 주노: 저는 회사에 다녀요. 안나 씨는 무슨 일을 해요?
5) 안나: 저는 안나라고 해요. 이름이 뭐예요?

듣고 말하기　2번　9쪽

위에서 들은 문장을 대화 순서대로 써 보세요. 대화를 다시 들으면서 맞는지 확인해 보세요.

안나: 저는 안나라고 해요. 이름이 뭐예요?

03 🔊 요즘 아침마다 회의가 있어요

어휘와 표현 | 1번 | 18쪽

잘 듣고 다음과 같이 써 보세요. 그리고 알맞은 그림을 찾아 연결해 보세요.

1) 아르바이트를 해요.
2) 퇴근해요.
3) 출근해요.
4) 동아리 활동을 해요.
5) 회의를 준비해요.

듣고 말하기 | 1번 | 21쪽

다음을 잘 듣고 질문에 답하세요.

안나: 유진 씨, 내일 같이 시험공부를 할까요?
유진: 좋아요. 그런데 내일은 동아리 모임이 있어요.
안나: 그래요? 동아리 모임은 몇 시에 끝나요?
유진: 오후 2시쯤 끝날 거예요. 요즘 수요일마다 동아리 활동을 해요.
안나: 아, 그럼 모임이 끝날 때쯤 전화 주세요.
유진: 네. 안나 씨, 내일 만나요.

듣고 말하기 | 2번 | 21쪽

다음을 잘 듣고 [ㅈ], [ㅉ], [ㅊ]을 맞게 발음한 것에 √ 표시를 해 보세요. 그리고 따라 해 보세요.

1) 가: 요즘 주말마다 동아리 활동을 해요.
　　나: 요즘 추말마다 동아리 활동을 해요.
2) 가: 오후 두 시즘이요.
　　나: 오후 두 시쯤이요.
3) 가: 동아리 활동이 끝날 때 전화 주세요.
　　나: 동아리 활동이 끝날 때 천화 주세요.
4) 가: 쭐퇴근할 때 커피를 사요.
　　나: 출퇴근할 때 커피를 사요.

04 🔊 청바지에다가 티셔츠를 입으려고 해요

어휘와 표현 | 1번 | 24쪽

잘 듣고 다음과 같이 써 보세요. 그리고 그림을 보고 알맞은 표현을 찾아 연결해 보세요.

1) 장갑을 껴요.
2) 넥타이를 해요.
3) 청바지를 입어요.
4) 운동화를 신어요.
5) 원피스를 입어요.

듣고 말하기 | 1번 | 27쪽

다음을 잘 듣고 질문에 답하세요.

마리: 안나 씨, 지금 쇼핑해요?
안나: 네. 예쁜 구두를 좀 사려고요.
　　　다음 주 일요일에 친구 결혼식에 가기로 했어요.
마리: 어떤 구두를 사려고 해요?
안나: 긴 원피스에 어울리는 예쁜 구두요.
마리: 그럼 이 구두는 어때요?
안나: 와, 정말 예뻐요! 저 이거 살 거예요.

듣고 말하기 | 2번 | 27쪽

잘 듣고 따라 해 보세요.

1) 안나 씨가 뭘 입었어요?
2) 짧은 원피스를 입었어요.
3) 어떤 옷을 입을 거예요?
4) 따뜻한 옷을 입을 거예요.

05 🔊 거실 창문이 커서 경치를 구경하기가 좋아요

어휘와 표현 | 1번 | 30쪽

잘 듣고 다음과 같이 써 보세요. 그리고 그림을 보고 알맞은 표현을 찾아 연결해 보세요.

1) 깨끗해요.
2) 지저분해요.
3) 짐이 많아요.
4) 넓어요.
5) 좁아요.

듣고 말하기 | 1번 | 33쪽

다음을 잘 듣고 질문에 답하세요.

주노: 재민 씨, 일요일에 이사 잘 했어요?
재민: 네. 짐이 적어서 이사하는 것이 힘들지 않았어요.
주노: 제가 도와주지 못해서 미안했어요. 새집은 어때요? 좋아요?
재민: 네. 거실이 넓어서 사람들을 초대하기 좋아요.
주노: 와, 저도 가서 새집 구경하고 싶어요!
재민: 하하. 그럼 다음 주말에 한번 놀러 오세요.

듣고 말하기 | 2번 | 33쪽

잘 듣고 따라 해 보세요.

1) 집이 넓지 않아요.
2) 가게가 넓고 깨끗해요.
3) 도서관이 깨끗하고 넓어요.
4) 교실에 의자가 여덟 개 있어요.

06 🔊 커피를 마시면서 음악을 들어요

어휘와 표현 | 1번 | 36쪽

잘 듣고 다음과 같이 써 보세요.

1) 소파가 놓여 있어요.
2) 사진이 걸려 있어요.
3) 테이블이 놓여 있어요.
4) 의자가 놓여 있어요.
5) 옷이 걸려 있어요.

듣고 말하기 | 1번 | 39쪽

다음을 잘 듣고 질문에 답하세요.

민수: 이 공원 분위기가 정말 좋아요.
마리: 그렇죠? 예쁜 꽃도 많고 쉴 수 있는 의자도 많아서 자주 오는 공원이에요.
민수: 사람도 많지 않고 정말 조용해서 쉬기 좋아요.
마리: 맞아요. 저는 매일 점심을 먹고 회사에 들어가기 전에 여기에서 산책을 해요.
민수: 아. 마리 씨 회사가 이 근처에 있지요?
마리: 네. 저 건물이 제가 다니는 회사예요.

듣고 말하기 | 2번 | 39쪽

다음을 잘 듣고 'ㅈ'이 [ㅊ]으로 발음되는 곳에 ○ 표시를 해 보세요. 그리고 따라 해 보세요.

1) 그렇죠?
2) 맛이 괜찮지요?
3) 분위기가 좋지요?
4) 사람이 많지 않지요?

07 🔊 스트레스를 받으면 가슴이 답답해요

어휘와 표현 | 2번 | 42쪽

잘 듣고 다음과 같이 써 보세요.

1) 가: 무슨 일 있어요?
   나: 어제 잠을 못 자서 얼굴이 붓고 속이 안 좋아요.
2) 가: 스트레스를 받을 때 몸이 어때요?
   나: 저는 스트레스를 받을 때 잠이 안 와요.
3) 가: 어디가 안 좋아요?
   나: 요즘 가슴이 답답해요.
4) 가: 어디에 가요?
   나: 얼굴에 뭐가 나서 병원에 가요.

듣고 말하기 | 1번 | 45쪽

다음을 잘 듣고 질문에 답하세요.

재민: 주노 씨, 커피를 또 마셔요? 많이 피곤하죠?
주노: 네. 요즘 잠을 못 자서 너무 피곤해요.
재민: 무슨 일 있어요?
주노: 요즘 일이 많아서 스트레스를 받아요. 스트레스를 받으면 잠이 안 오고 얼굴이 부어요.
재민: 어, 저도요. 저는 잠이 안 오고 가슴이 답답해요. 우리 회의도 끝났으니까 오늘은 일찍 가서 쉬어요.
주노: 네. 그래요.

듣고 말하기 | 2번 | 45쪽

다음을 잘 듣고 'ㅁ'가 [ㄴ]로 발음되는 곳에 ○ 표시를 해 보세요. 그리고 따라 해 보세요.

1) 한국어 시험이 있죠?
2) 요즘 일이 많아서 힘들죠?
3) 한국 요리를 좋아하죠?
4) 우리 내일 만나기로 했죠?

08 🔊 잠이 안 오면 가벼운 운동을 해 보세요

어휘와 표현 | 1번 | 48쪽

잘 듣고 다음과 같이 써 보세요. 그리고 알맞은 그림을 찾아 연결해 보세요.

1) 자주 웃어요.
2) 손을 잘 씻어요.
3) 자주 짜증을 내요.
4) 일찍 자고 일찍 일어나요.
5) 늦게 자고 늦게 일어나요.

듣고 말하기 | 1번 | 51쪽

다음을 잘 듣고 질문에 답하세요.

수지: 유진 씨, 어디에 가요?
유진: 속이 안 좋아서 병원에 가요.
수지: 음식을 잘못 먹었어요?
유진: 아니요. 요즘 밤마다 야식을 먹었는데 피곤하고 속이 안 좋아요.
수지: 야식을 자주 먹으면 건강에 안 좋아요. 밤에 배가 고프면 따뜻한 우유를 한 잔 마셔 보세요. 잠도 잘 오고 속도 괜찮을 거예요.
유진: 그래요? 알겠어요. 고마워요.

다음을 잘 듣고 따라 해 보세요.

1) 가: 어디에 가요?

나: 병원에 가요.

2) 가: 어디에 가요?

나: 아니요. 안 가요.

09 🔊 그럼 칼국수를 먹는 게 어때요?

어휘와 표현 | 2번 | 54쪽

잘 듣고 다음과 같이 써 보세요.

1) 가: 뭐 시킬 거예요?

나: 순두부찌개를 시키려고 해요.

2) 가: 메뉴를 정했어요?

나: 네. 칼국수를 주문할 거예요.

3) 가: 저는 매운 음식을 먹고 싶어요.

나: 이 가게 짬뽕은 아주 매워요.

4) 가: 뭐가 맛있을까요?

나: 이 식당은 짜장면이 아주 맛있어요.

듣고 말하기 | 1번 | 57쪽

다음을 잘 듣고 질문에 답하세요.

마리: 안나 씨, 뭐 주문할 거예요?

안나: 글쎄요. 조금 매운 음식을 먹고 싶은데 뭐가 좋을까요?

마리: 그럼 짬뽕을 먹는 게 어때요?

안나: 아, 그런데 메뉴 사진을 보니까 짜장면도 맛있을 것 같아요.

마리: 그럼 제가 짜장면을 주문하고 안나 씨는 짬뽕을 주문하는 게
어때요? 두 음식을 같이 먹어요.

안나: 와, 좋아요. 여기요! 짜장면하고 짬뽕 하나 주세요!

듣고 말하기 | 2번 | 57쪽

다음을 잘 듣고 'ㅅ'이 [ㅆ]으로 발음되는 곳에 ○ 표시를 해 보세요. 그
리고 따라 해 보세요.

1) 칼국수를 먹어요.

2) 저는 대학생이에요.

3) 친구하고 약속을 했어요.

4) 재민 씨는 복숭아를 좋아해요.

10 🔊 그럼 저 까만 구두는 어때요?

어휘와 표현 | 2번 | 60쪽

대화를 잘 듣고 다음과 같이 써 보세요.

1) 가: 이 가방이 어때요?

나: 가격이 좀 비싸요.

2) 가: 옷 사이즈가 어때요?

나: 좀 작아요.

3) 가: 이 핸드폰 디자인이 어때요?

나: 단순하지만 예뻐요.

4) 가: 이 신발 어때요?

나: 디자인이 좋고 가격도 적당해요.

듣고 말하기 | 1번 | 63쪽

다음을 잘 듣고 질문에 답하세요.

재민: 마리 씨, 여기 예쁜 꽃이 많아요. 잠깐 구경 좀 할까요?

마리: 네. 내일이 안나 씨 생일인데 여기서 꽃을 사서 선물하면 좋겠어요.

재민: 마리 씨는 어떤 꽃이 제일 예쁜 것 같아요?

마리: 저 노란색 꽃이요. 그런데 안나 씨는 노란색을 안 좋아해요.

재민: 안나 씨는 어떤 색을 좋아해요?

마리: 하얀색하고 파란색을 좋아해요.

재민: 그럼 저 하얀색 꽃을 사는 게 어때요?

마리: 와, 정말 예뻐요. 안나 씨가 좋아할 것 같아요.

듣고 말하기 | 2번 | 63쪽

다음을 잘 듣고 [ㄲ]으로 발음되는 곳에 ○ 표시를 해 보세요. 그리고
따라 해 보세요.

1) 앉기 편한 의자예요.

2) 구두를 신고 회사에 가요.

3) 청바지에다가 신기 좋은 신발이에요.

4) 저는 의자에 앉고 언니는 소파에 앉았어요.

11 🔊 한국을 여행한 적이 있어요?

어휘와 표현 | 1번 | 66쪽

잘 듣고 다음과 같이 써 보세요. 그리고 알맞은 그림을 찾아 연결해
보세요.

1) 기차표를 예매해요

2) 날짜를 정해요.

3) 날씨를 알아봐요.

4) 숙소를 예약해요.

5) 교통편을 알아봐요.

듣고 말하기 | 1번 | 69쪽

다음을 잘 듣고 질문에 답하세요.

재민: 마리 씨, 언제부터 휴가예요?

마리: 다음 주 월요일부터 수요일까지 3일 동안 휴가예요.

재민: 휴가 동안 뭐 할 거예요?

마리: 한국에서 친구가 와서 친구와 같이 유명한 관광지를 구경하려고 해요. 재민 씨는요?

재민: 저는 요즘 너무 피곤해서 이번 휴가 동안 집에서 쉬면서 맛있는 음식을 먹으려고 해요.

듣고 말하기 | 2번 | 69쪽

다음을 잘 듣고 받침 'ㄱ', 'ㄲ', 겹받침 'ㄹㄱ'이 'ㄴ'을 만나 [ㅇ]으로 발음되는 곳에 ○ 표시를 해 보세요. 그리고 따라 해 보세요.

1) 요즘 제가 읽는 책이에요.
2) 좋은 여행지가 생각났어요.
3) 창문을 닦는 사람이 재민 씨예요.
4) 이번 휴가에는 국내 여행을 할 거예요.

12 🔊 박물관에서 도장을 만들어 봤어요

어휘와 표현 | 1번 | 72쪽

잘 듣고 다음과 같이 써 보세요. 그리고 알맞은 그림을 찾아 연결해 보세요.

1) 멋있는 카페에 가요.
2) 기념품을 사요.
3) 경치가 아름다워요.
4) 구경거리가 많아요.
5) 전통 음식을 먹어요.

듣고 말하기 | 1번 | 75쪽

다음을 잘 듣고 질문에 답하세요.

재민: 마리 씨, 프랑스 여행은 어땠어요?

마리: 구경거리가 많아서 너무 좋았어요. 분위기도 좋았어요.

재민: 다행이에요. 프랑스에서 뭐가 제일 좋았어요?

마리: 에펠탑에 가 봤는데, 거기에서 본 야경이 정말 아름다웠어요.

재민: 와, 멋있을 것 같아요. 또 뭘 해 봤어요?

마리: 박물관에서 그림도 구경했어요. 그리고 친구의 집에 놀러 가서 프랑스 요리도 많이 먹어 봤어요. 정말 맛있었어요.

듣고 말하기 | 2번 | 75쪽

다음을 잘 듣고 '의'를 어떻게 발음했는지 고르세요. 그리고 따라 해 보세요.

1) 의사
2) 의자
3) 회의
4) 친구의 집

모범 답안 2A

명사	이라고 해요	명사	라고 해요	문장	라고 해요
유진	유진이라고 해요	마리	마리라고 해요	안녕하세요	'안녕하세요' 라고 해요
재민	재민이라고 해요	주노	주노라고 해요	감사합니다	'감사합니다' 라고 해요
한복	한복이라고 해요	불고기	불고기라고 해요	미안합니다	'미안합니다' 라고 해요
비빔밥	비빔밥이라고 해요	김치	김치라고 해요	사랑해요	'사랑해요' 라고 해요
서울	서울이라고 해요	한국어	한국어라고 해요	좋아해요	'좋아해요' 라고 해요

문법 1 | 2번 | 7쪽

1) 주노라고 해요
2) 유진이라고 해요
3) 사랑이라고 해요
4) 핸드폰이라고 해요
5) 당근이라고 해요
6) 차라고 해요

01 저는 프로그램 만드는 일을 해요

어휘와 표현 | 1번 | 6쪽

1) 대학교에 다녀요.
2) 한국어를 가르쳐요.
3) 빵을 구워요.
4) 프로그램을 만들어요.
5) 미용실에서 일해요.

문법 2 | 1번 | 8쪽

동사	-는	동사	-는
먹다	먹는	보다	보는
받다	받는	마시다	마시는
읽다	읽는	만나다	만나는
듣다	듣는	공부하다	공부하는
웃다	웃는	★만들다	만드는

문법 2 | 2번 | 8쪽

1) 좋아하는 음식이에요
2) 요즘 읽는 책이에요
3) 자주 듣는 음악이에요
4) 공부하는 세종학당이에요
5) 사는 집이에요
6) 자주 마시는 커피예요

듣고 말하기 | 1번 | 9쪽

1) 무슨 일을 해요
2) 대학교에 다녀요, 경영학을
3) 주노라고 해요
4) 회사에 다녀요, 무슨 일을 해요
5) 안나라고 해요, 뭐예요

어휘와 표현 | 2번 | 6쪽

1) 프로그래머예요
2) 헤어 디자이너예요
3) 교사가
4) 제빵사가

5)	3)	1)	4)	2)

1) ○

2) ○

1) ②

2) ①, ②

3) ① ✕

　② ○

1) 안나라고 해요

2) 한국어를 좋아해서

3) 자주 듣는

4) 이야기하고 싶어요

　안녕하세요? 저는 마리라고 해요. 만나서 반가워요. 저는 9개월 전부터 한국어를 배우고 있어요. 저는 한국 가수를 좋아해서 한국어를 배워요. 제가 좋아하는 가수는 이민우예요. 그 가수에게 한국어로 이메일을 쓰고 싶어요.

　그래서 한국어를 열심히 공부하고 있어요. 저는 다음 방학에 한국에 갈 거예요. 그래서 더 열심히 한국어를 공부할 거예요. 감사합니다.

 02 등산을 하거나 운동 모임에 가요

1) 음식을 만들어요.　•

2) 배드민턴을 쳐요.　•

3) 악기를 연주해요.　•

4) 스포츠 경기를 봐요.　•

5) 만화를 그려요.　•

1) 음식을 만드는

2) 소설을 읽어요

3) 화장실을 청소했어요

4) 풍경 사진을 찍었어요

동사	-거나	명사	이나	명사	나
만들다	만들거나	김밥	김밥이나	돈가스	돈가스나
듣다	듣거나	케이팝	케이팝이나	노래	노래나
가다	가거나	공원	공원이나	카페	카페나
그리다	그리거나	그림	그림이나	만화	만화나
하다	하거나	등산	등산이나	태권도	태권도나

1) 쉬거나 운동해요

2) 걸어서 가거나 자전거로 가요

3) 빵이나 김밥을 먹어요

4) 카페나 편의점에서 커피를 사요

5) 비빔밥이나 김치찌개를 먹을 거예요

6) 백화점이나 도서관에 갈 거예요

동사/형용사	-을까요?	동사/형용사	-ㄹ까요?
먹다	먹을까요?	가다	갈까요?
좋다	좋을까요?	보다	볼까요?
받다	받을까요?	바쁘다	바쁠까요?
★걷다	걸을까요?	시원하다	시원할까요?
★어렵다	어려울까요?	★만들다	만들까요?

문법 2 | 2번 | 14쪽

1) 더울까요
2) 멀까요
3) 맛있을까요
4) 많을까요
5) 쉬울까요

듣고 말하기 | 1번 | 15쪽

1) ①
2) ②
3) ① 만화를 그리거나
　 ② 만화를 좋아하지만
　 ③ 만화를 그릴까요
　 ④ 그릴 수 있을까요
　 ⑤ 만화를 그려요

듣고 말하기 | 2번 | 15쪽

1) 재민 씨도 잘 그릴 수 있어요.
2) 친구하고 등산을 할 거예요.
3) 이번 주말에는 비가 올 거예요.
4) 카페에 가서 책을 읽을 거예요.

읽기 | 1번 | 16쪽

1) ②
2) ③
3) ① ✕
　 ② ✕

쓰기 | 1번 | 17쪽

1) 영화를 보는
2) 영화관이나
3) 보고 싶은
4) 취미 생활을 하고 싶은

쓰기 | 2번 | 17쪽

　안녕하세요? 저는 지은이라고 해요. 영어를 가르치는 교사예요. 제 취미는 독서예요. 그래서 주말에 독서 모임에 가거나 집에서 소설책을 읽어요. 그런데 더 많은 친구들하고 같이 책을 읽고 싶어요. 저하고 취미 생활을 하고 싶은 친구가 있을까요? 독서 모임에 가서 같이 좋은 책을 찾거나 책 이야기를 하고 싶어요. 저와 같이 책을 읽고 싶은 친구는 저에게 연락 주세요.

03 요즘 아침마다 회의가 있어요

어휘와 표현 | 1번 | 18쪽

1) 아르바이트를 해요.
2) 퇴근해요.
3) 출근해요.
4) 동아리 활동을 해요.
5) 회의를 준비해요.

어휘와 표현 | 2번 | 18쪽

1) 이메일을 읽어요
2) 수업을 들어요
3) 아르바이트를 해요
4) 시험공부를 할까요

문법 1 | 1번 | 19쪽

1) 주말마다 고향에 가요
2) 일요일마다 집 청소를 해요
3) 방학마다 여행을 가요
4) 저녁마다 운동해요

문법 1 | 2번 | 19쪽

1) 금요일마다 청소를 해요
2) 토요일마다 등산을 해요
3) 목요일마다 운동을 해요
4) 일요일마다 데이트를 해요

문법 2 | 1번 | 20쪽

동사/형용사	-을 때	동사/형용사	-ㄹ 때
먹다	먹을 때	가다	갈 때
읽다	읽을 때	보다	볼 때
있다	있을 때	공부하다	공부할 때
★춥다	추울 때	운동하다	운동할 때
★듣다	들을 때	★만들다	만들 때

문법 2 | 2번 | 20쪽

1) 한국어를 공부할 때 즐거워요
2) 날씨가 더울 때 아이스크림을 먹어요
3) 시간이 있을 때 한강공원에 가요
4) 버스를 타고 갈 때 음악을 들어요
5) 케이팝(K-POP)을 들을 때 행복해요
6) 책을 읽고 싶을 때 도서관에 가요

듣고 말하기 | 1번 | 21쪽

1) ②
2) ④
3) ① 시험공부를 할까요
　　② 동아리 모임
　　③ 수요일마다
　　④ 전화 주세요
　　⑤ 내일 만나요

듣고 말하기 | 2번 | 21쪽

1) 가　　　　　　　　2) 나
3) 가　　　　　　　　4) 나

읽기 | 1번 | 22쪽

1) ②
2)

일	월	화	수	목	금	토
	∨		∨		∨	

3) ① ○　　　② ×

쓰기 | 1번 | 23쪽

1) 축구 동아리 활동을 하고 있어요
2) 주말마다
3) 학교에 가서
4) 힘들지만

쓰기 | 2번 | 23쪽

저는 한국 음식을 좋아해서 한국 음식 동아리 활동을 하고 있어요. 수업이 없을 때마다 동아리 친구들을 만나요. 동아리 친구들을 만나서 같이 맛집에 가요. 다음 주 금요일에는 김치 만들기 행사가 있어서 친구들과 행사 준비를 해야 해요. 사람들에게 연락하고 김치를 준비해야 해요. 저는 수요일하고 목요일마다 수업이 있어서 월요일, 화요일, 금요일에 친구들과 김치 만들기 행사를 준비할 거예요.

04 ✎ 청바지에다가 티셔츠를 입으려고 해요

어휘와 표현 | 1번 | 24쪽

1) 장갑을 껴요.
2) 넥타이를 해요.
3) 청바지를 입어요.
4) 운동화를 신어요.
5) 원피스를 입어요.

어휘와 표현 | 2번 | 24쪽

1) 입어요
2) 신어요
3) 하고, 껴요
4) 써요

문법 1 | 1번 | 25쪽

1) 쇼핑을 하기로 했어요
2) 영화를 보기로 했어요
3) 한국 음식을 먹기로 했어요
4) 시내에서 놀기로 했어요

문법 1 | 2번 | 25쪽

1) 동아리 모임을 하기로 했어요
2) 재민 씨하고 영화 보기로 했어요
3) 안나 씨하고 배드민턴 치기로 했어요
4) 집에서 축구 경기를 보기로 했어요

2) 티셔츠에다가 청바지를 입어요
3) 정장에다가 구두를 신어요
4) 티셔츠에다가 반바지를 입어요
5) 스웨터에다가 코트를 입어요

1) 책에다가 이름을
2) 공책에다가 숙제를
3) 에스엔에스(SNS)에다가 사진을
4) 가방에다가 책을
5) 커피에다가 설탕하고 우유를

1) ④
2) ④
3) ① 쇼핑해요
    ② 예쁜 구두를
    ③ 친구 결혼식에 가기로 했어요
    ④ 긴 원피스에 어울리는 예쁜

1) ③
2) ①
3) ① ✕
    ② ✕

1) 정장을
2) 블라우스에다가
3) 구두를/운동화를
4) 운동화를/구두를

1) 재미있게 이야기하는 것이었습니다
2) 예쁘지만 편한 옷/정장
3) 정장/예쁘지만 편한 옷

---

05 ✏️ 거실 창문이 커서 경치를 구경하기가 좋아요

1) 깨끗해요. •
2) 지저분해요. •
3) 짐이 많아요. •
4) 넓어요. •
5) 좁아요. •

2) 깨끗하고 넓어요/깨끗하고 어두워요/넓지만 어두워요
3) 지저분하고 짐이 많아요/짐이 많고 넓어요/지저분하지만 넓어요
4) 짐이 없고 밝아요/밝고 좁아요/짐이 없지만 좁아요

1) 따뜻해서 산책하기(가) 좋아요
2) 내용이 재미있어서 읽기(가) 좋아요
3) 내용이 쉬워서 동생하고 같이 보기(가) 좋아요
4) 단풍이 아름다워서 구경하기(가) 좋아요

1) 봄에는 •   • 매운 음식을 먹을 때 마시다
2) 겨울에는 •   • 밖에서 자전거를 타다
3) 빵은 •   • 자기 전에 마시기 안 좋다
4) 커피는 •   • 시간이 없을 때 먹다
5) 우유는 •   • 밖에서 놀기 안 좋다

2) 겨울에는 밖에서 놀기 안 좋아요
3) 빵은 시간이 없을 때 먹기 좋아요
4) 커피는 자기 전에 마시기 안 좋아요
5) 우유는 매운 음식을 먹을 때 마시기 좋아요

1) 점심을 먹지 않았어요
2) 청소를 하지 못했어요

3) 학교에 가지 않아요

4) 학교에 오지 못했어요

문법 2 | 2번 | 32쪽

1) (않아요 / 못해요).

2) (않아요 / 못해요).

3) (않아요 / 못해요).

4) (않아요 / 못해요).

듣고 말하기 | 1번 | 33쪽

1) ①

2) ④

3) ① 일요일에 이사 잘 했어요

　 ② 힘들지 않았어요

　 ③ 도와주지 못해서

　 ④ 넓어서

　 ⑤ 놀러 오세요

읽기 | 1번 | 34쪽

1) ④

2) ②, ④

3) ① ○

　 ② ✕

쓰기 | 1번 | 35쪽

1) 방이 지저분하지

2) 방이 어둡습니다

3) 방에 짐이 적습니다

4) 집이 좁아서

쓰기 | 2번 | 35쪽

　저는 친구 한 명과 학교 근처에서 살고 있어요. 우리 집에는 방이 두 개 있어요. 하나는 제 방이고 하나는 친구 방이에요. 친구 방에는 짐이 많지만 제 방에는 짐이 많지 않아요. 그런데 친구는 청소를 자주 해서 방이 깨끗하고, 저는 청소를 잘 하지 않아서 방이 지저분해요. 그래도 저는 제 방이 더 좋아요.

06 🖉 커피를 마시면서 음악을 들어요

어휘와 표현 | 1번 | 36쪽

1) 소파

2) 사진

3) 테이블, 놓여

4) 의자, 놓여

5) 옷, 걸려

어휘와 표현 | 2번 | 36쪽

1) 걸려 있어요

2) 벽, 걸려 있어요

3) 꽃이 놓여 있어요

4) 시계가 걸려 있어요

문법 1 | 1번 | 37쪽

동사	-으면서	동사	-면서
먹다	먹으면서	보다	보면서
읽다	읽으면서	마시다	마시면서
입다	입으면서	춤추다	춤추면서
찍다	찍으면서	운동하다	운동하면서
★듣다	들으면서	★만들다	만들면서

문법 1 | 2번 | 37쪽

1) 드라마를 보다 •　　　　　• 커피를 마시다

2) 공부를 하다 •　　　　　• 아르바이트를 하다

3) 대학교에 다니다 •　　　　　• 친구하고 이야기하다

4) 친구를 기다리다 •　　　　　• 책을 읽다

2) 공부를 하면서 커피를 마셔요

3) 대학교에 다니면서 아르바이트를 해요

4) 친구를 기다리면서 책을 읽어요

문법 1 | 3번 | 37쪽

1) 만들면서 친구들을 기다려요

2) 게임을 하면서 놀았어요

3) 들으면서 운동했어요

문법 2 | 1번 | 38쪽

1) 예쁘지요

2) 재미있지요 / 재미있었지요

3) 잘 알지요

4) 한국에 가지요

문법 2 | 2번 | 38쪽

1) 유진 씨 전화번호는 공일공에 일오육이에 구일이이지요

2) 유진 씨는 불고기를 좋아하지요

3) 유진 씨는 게임하는 것을 좋아하지요 / 유진 씨 취미는 게임이지요

듣고 말하기 | 1번 | 39쪽

1) ①, ③

2) ③

3) ① 쉴 수 있는 의자도 많아서

　② 많지 않고 정말 조용해서

　③ 회사에 들어가기 전에

　④ 이 근처에 있지요

듣고 말하기 | 2번 | 39쪽

1) 그렇죠?

2) 맛이 괜찮지요?

3) 분위기가 좋지요?

4) 사람이 많지 않지요?

읽기 | 1번 | 40쪽

1) ②

2) ②

3) ① ○

　② ×

쓰기 | 1번 | 41쪽

1) 메뉴가 걸려 있어요

2) 테이블이 놓여 있어요

3) 의자가 놓여 있어요

4) 사진이 걸려 있어요

쓰기 | 2번 | 41쪽

　저는 주말마다 친구와 낚시를 해요. 그리고 낚시를 한 후에는 같이 밥을 먹어요. 보통 '부산집'이라는 한국 식당에 가서 칼국수나 김치찌개를 먹어요. 그곳은 많은 테이블과 의자가 놓여 있는 넓은 식당이에요. 음식도 맛있고 가게가 깨끗해요. 그 식당에서 친구와 낚시 이야기를 하면서 맛있는 음식을 먹는 것이 정말 즐거워요.

07 ✎ 스트레스를 받으면 가슴이 답답해요

어휘와 표현 | 1번 | 42쪽

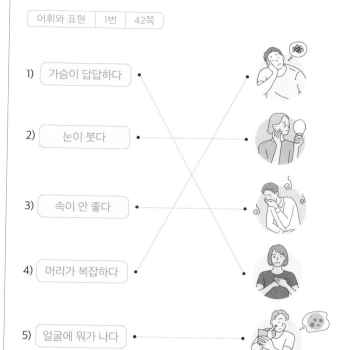

1) 가슴이 답답하다

2) 눈이 붓다

3) 속이 안 좋다

4) 머리가 복잡하다

5) 얼굴에 뭐가 나다

어휘와 표현 | 2번 | 42쪽

1) 얼굴이 붓고 속이 안 좋아요

2) 잠이 안 와요

3) 가슴이 답답해요

4) 얼굴에 뭐가 나서

문법 1 | 1번 | 43쪽

동사/형용사	-으면	동사/형용사	-면
먹다	먹으면	가다	가면
많다	많으면	마시다	마시면
좋다	좋으면	아프다	아프면
★듣다	들으면	피곤하다	피곤하면
★쉽다	쉬우면	힘들다	힘들면

문법 1 | 2번 | 43쪽

1) 머리가 아프다　　　　　　　• 잠을 자요

2) 덥다　　　　　　　　　　　• 다음에 만나요

3) 오늘 바쁘다　　　　　　　　• 에어컨을 켜요

4) 잠을 못 자다　　　　　　　　• 케이팝(K-POP)을 불러요

5) 노래방에 가다　　　　　　　• 얼굴에 뭐가 나요

6) 일찍 퇴근하다　　　　　　　• 회사에 취직할 거예요

7) 한국어 공부가 끝나다　　　　• 친구를 만날 거예요

2) 더우면 에어컨을 켜요

3) 오늘 바쁘면 다음에 만나요

4) 잠을 못 자면 얼굴에 뭐가 나요

5) 노래방에 가면 케이팝(K-POP)을 불러요

6) 일찍 퇴근하면 친구를 만날 거예요

7) 한국어 공부가 끝나면 회사에 취직할 거예요

문법 2 | 1번 | 44쪽

동사	-아요/어요	-(으)니까	-습니다/ㅂ니다
낫다	나아요	**나으니까**	낫습니다
붓다	부어요	**부으니까**	붓습니다
젓다	저어요	**저으니까**	젓습니다
짓다	지어요	**지으니까**	짓습니다
★씻다	씻어요	**씻으니까**	씻습니다

문법 2 | 2번 | 44쪽

1) 지었어요

2) 씻으세요

3) 웃어 보세요

4) 부어요

5) 나을 거예요

6) 저어서 드세요

듣고 말하기 | 1번 | 45쪽

1) ①

2) ②, ③

3) ① 잠을 못 자서

　　② 일이 많아서

　　③ 잠이 안 오고

　　④ 얼굴이 부어요

　　⑤ 잠이 안 오고

듣고 말하기 | 2번 | 45쪽

1) 한국어 시험이 있죠?

2) 요즘 일이 많아서 힘들죠?

3) 한국 요리를 좋아하죠?

4) 우리 내일 만나기로 했죠?

읽기 | 1번 | 46쪽

1) ①

2) ②

3) ① ✕

　　② ○

쓰기 | 1번 | 47쪽

1) 일을 하고

2) 재미있지만

3) 스트레스를 받으면

4) 수업이 끝난 후에

쓰기 | 2번 | 47쪽

저는 요즘 오전에는 회사에서 일하고 오후에는 한국어를 배웁니다. 한국어를 배우는 것은 재미있지만 시험이 있어서 스트레스를 받습니다. 그리고 너무 피곤해서 가끔 힘들 때가 있습니다. 저는 스트레스를 받으면 얼굴이 붓고 얼굴에 뭐가 납니다. 그럴 때는 수업이 끝난 후에 헬스장에서 운동을 합니다. 그러면 좀 괜찮습니다. 여러분은 스트레스를 받으면 어떻게 합니까?

08 ✏ 잠이 안 오면 가벼운 운동을 해 보세요

어휘와 표현 | 1번 | 48쪽

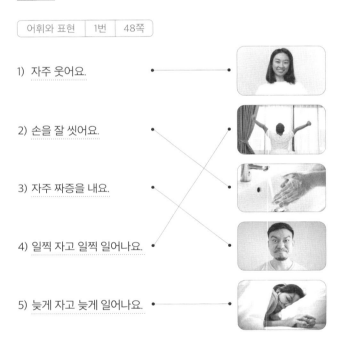

1) 자주 웃어요.

2) 손을 잘 씻어요.

3) 자주 짜증을 내요.

4) 일찍 자고 일찍 일어나요.

5) 늦게 자고 늦게 일어나요.

어휘와 표현 | 2번 | 48쪽

1) 가벼운 운동을 해 보세요

2) 야식을 먹어서

3) 컴퓨터를 오래 해서

4) 음식을 골고루 먹으면

동사	-는데	형용사	-은데	형용사	-ㄴ데
먹다	먹는데	많다	많은데	싸다	싼데
읽다	읽는데	좋다	좋은데	크다	큰데
가다	가는데	★춥다	추운데	고프다	고픈데
공부하다	공부하는데	★없다	없는데	아프다	아픈데
★만들다	만드는데	★재미있다	재미있는데	심심하다	심심한데

1) 속이 좀 안 좋다 •　　　　　　• 혹시 약이 있어요?
2) 날씨가 좋다 •　　　　　　• 먹어 보세요.
3) 교실이 춥다 •　　　　　　• 같이 갈까요?
4) 내일 시험이 있다 •　　　　　　• 아주 재미있어요.
5) 불고기를 만들었다 •　　　　　　• 창문을 닫을까요?
6) 한국어 공부를 하다 •　　　　　　• 공부를 못 했어요.
7) 콘서트 표가 있어요 •　　　　　　• 공원에서 자전거를 탈까요?

2) 날씨가 좋은데 공원에서 자전거를 탈까요
3) 교실이 추운데 창문을 닫을까요
4) 내일 시험이 있는데 공부를 못 했어요
5) 불고기를 만들었는데 먹어 보세요
6) 한국어 공부를 하는데 아주 재미있어요
7) 콘서트 표가 있는데 같이 갈까요

동사	-아 보세요	동사	-어 보세요	동사	해 보세요
앉다	앉아 보세요	먹다	먹어 보세요	하다	해 보세요
찾다	찾아 보세요	읽다	읽어 보세요	구경하다	구경해 보세요
가다	가 보세요	마시다	마셔 보세요	여행하다	여행해 보세요
만나다	만나 보세요	배우다	배워 보세요	운동하다	운동해 보세요
일어나다	일어나 보세요	★듣다	들어 보세요	이야기하다	이야기해 보세요

1) 테니스를 배워 보세요
2) 우유를 마셔 보세요
3) 한국 음식을 먹어 보세요
4) 꽃을 사 보세요
5) 케이팝(K-POP)을 들어 보세요

1) ②
2) ④
3) ① 속이 안 좋아서
　　② 음식을 잘못 먹었어요
　　③ 야식을 먹었는데
　　④ 속이 안 좋아요
　　⑤ 따뜻한 우유를 한 잔 마셔 보세요

1) ②
2) ①, ②
3) ① ○
　　② ○

1) 야식을 자주 먹어서
2) 산책을 해 보세요
3) 한국어 시험이 있는데
4) 취미 활동을 해 보세요

안나 씨, 유진이에요. 다음 주에 한국어 시험이 있어서 스트레스를 많이 받지요? 안나 씨가 스트레스를 많이 받아서 걱정이에요. 저는 스트레스를 받으면 친구를 만나거나 낮잠을 자요. 그러면 기분이 좋아요. 또 주말에는 동아리 활동을 해요. 시험을 생각하지 않을 수 있어서 좋아요. 안나 씨도 스트레스를 받으면 친구를 만나거나 동아리 활동을 해 보세요. 그럼 기분이 좋을 거예요.

09 그럼 칼국수를 먹는 게 어때요?

어휘와 표현 | 1번 | 54쪽

1)

2)

3)

4)

5)

• 음식을 주문해요.

• 카드로 계산해요.

• 메뉴를 정해요.

• 현금으로 계산해요.

• 메뉴를 봐요.

어휘와 표현 | 2번 | 54쪽

1) 시키려고 해요
2) 정했어요
3) 아주 매워요
4) 뭐가 맛있을까요

문법 1 | 1번 | 55쪽

동사/형용사	-는 것 같다	형용사	-은 것 같다	형용사	-ㄴ 것 같다
먹다	먹는 것 같다	작다	작은 것 같다	짜다	짠 것 같다
오다	오는 것 같다	좁다	좁은 것 같다	크다	큰 것 같다
듣다	듣는 것 같다	좋다	좋은 것 같다	따뜻하다	따뜻한 것 같다
★만들다	만드는 것 같다	늦다	늦은 것 같다	★멀다	먼 것 같다
재미있다	재미있는 것 같다	괜찮다	괜찮은 것 같다	★춥다	추운 것 같다

동사	-은 것 같다	동사	-ㄴ 것 같다
먹다	먹은 것 같다	오다	온 것 같다
찍다	찍은 것 같다	마시다	마신 것 같다
★듣다	들은 것 같다	★만들다	만든 것 같다

동사/형용사	-을 것 같다	동사/형용사	-ㄹ 것 같다
먹다	먹을 것 같다	오다	올 것 같다
찍다	찍을 것 같다	마시다	마실 것 같다
★듣다	들을 것 같다	짜다	짤 것 같다
★어렵다	어려울 것 같다	★만들다	만들 것 같다

문법 1 | 2번 | 55쪽

1) 늦을 것 같아요
2) 어려울 것 같아요
3) 좋은 것 같아요
4) 간 것 같아요

문법 2 | 1번 | 56쪽

2) 보는 게 어때요
3) 먹어 보는 게 어때요
4) 찍는 게 어때요

문법 2 | 2번 | 56쪽

2) 자는 게 어때요
3) 넣는 게 어때요/넣어 보는 게 어때요
4) 가는 게 어때요

듣고 말하기 | 1번 | 57쪽

1) 메뉴를 정하고 있어요.
2) ①
3) ① 조금 매운 음식을 먹고 싶은데
　　② 짬뽕을 먹는 게 어때요
　　③ 제가 짜장면을 주문하고
　　④ 짬뽕을 주문하는 게 어때요
　　⑤ 두 음식을 같이 먹어요

듣고 말하기 | 2번 | 57쪽

1) 칼국수를 먹어요.
2) 저는 대학생이에요.
3) 친구하고 약속을 했어요.
4) 재민 씨는 복숭아를 좋아해요.

1) ②, ④

2) ① ✕

　 ② ○

3) ③

1) 메뉴를 보면서

2) 메뉴를 정해요

3) 음식을 주문해요

4) 카드로 계산해요

　지난주 토요일에 오랜만에 가족들하고 같이 식당에 갔어요. 주문을 하려고 벽에 걸려 있는 메뉴를 봤어요. 그런데 음식 종류가 정말 많아서 메뉴를 고르는 것이 힘들었어요. 먹고 싶은 음식들도 많아서 점원에게 질문하거나 가족들과 이야기하면서 메뉴를 정했어요. 주문한 음식들은 다 맛있었어요. 가족들과 맛있는 음식을 먹으면서 이야기하는 것이 정말 즐거웠어요. 식사가 끝난 후에는 누나가 계산했어요. 다음에 또 같이 식사할 때는 제가 계산을 하기로 했어요.

10 ✏️　그럼 저 까만 구두는 어때요?

1) 파랗다, 파래요

2) 노랗다, 노래요

3) 하얗다, 하얘요

4) 빨갛다, 빨개요

1) 가격이

2) 사이즈가 어때요

3) 핸드폰 디자인이, 단순하지만

4) 이 신발 어때요, 디자인이 좋고 가격도 적당해요

형용사	-아요/어요	-아서/어서	-(으)ㄴ
까맣다	까매요	까매서	까만
파랗다	파래요	파래서	파란
빨갛다	빨개요	빨개서	빨간
노랗다	노래요	노래서	노란
하얗다	하얘요	하얘서	하얀
★좋다	좋아요	좋아서	좋은

1) 까매요

2) 하얀

3) 파래요

4) 빨간

1) 넣어요

2) 하얗고

3) 놓았어요

4) 파란

2) 작으면 좋겠어요

3) 밝으면 좋겠어요

4) 싸면 좋겠어요

5) 짧으면 좋겠어요

2) 크면 좋겠어요

3) 안 오면 좋겠어요

4) 적으면 좋겠어요/많지 않으면 좋겠어요

1) ④

2) ① ✕

　 ② ○

3) ① 여기 예쁜 꽃이 많아요

　 ② 여기서 꽃을 사서 선물하면 좋겠어요

　 ③ 안나 씨는 노란색을 안 좋아해요

　 ④ 하얀색하고 파란색을 좋아해요

　 ⑤ 저 하얀색 꽃을 사는 게 어때요

1) 앉기 편한 의자예요.

2) 구두를 신고 회사에 가요.

3) 청바지에다가 신기 좋은 신발이에요.

4) 저는 의자에 앉고 언니는 소파에 앉았어요.

1) • 안나 씨 (③)　　• 마리 씨 (②, ④)

2) ②

3) ① ✕

　 ② ○

1) 사이즈가 작아서
2) 색이 어두운
3) 가격이 적당하면
4) 디자인이 단순해서

저는 회사에서 일할 때 색이 어두운 정장에다가 하얀 와이셔츠를 자주 입어요. 그런데 정장하고 와이셔츠가 많지 않아서 요즘 출근할 때마다 매일 비슷한 옷을 입었어요. 그래서 지난주에 백화점에 가서 옷을 샀어요. 저는 백화점에서 한 시간쯤 물건을 본 후에 검은색 정장 하나와 하얀 와이셔츠 하나를 샀어요. 그 옷들은 아주 편해서 일할 때 입기 좋을 것 같았어요. 그리고 저는 디자인이 복잡한 옷을 사고 싶지 않았는데 그 옷들은 디자인이 단순해서 좋았어요. 이번에 쇼핑을 아주 잘한 것 같아요.

11 ✎ 한국을 여행한 적이 있어요?

1) 기차표를 예매해요.

2) 날짜를 정해요.

3) 날씨를 알아봐요.

4) 숙소를 예약해요.

5) 교통편을 알아봐요.

1) 여행지를 정했어요
2) 맛집을 알아보세요
3) 유명한 관광지를 알아봤어요
4) 비행기표를 예매하고 있어요

동사	-은 적이 있다	동사	-ㄴ 적이 있다
먹다	먹은 적이 있다	가다	간 적이 있다
받다	받은 적이 있다	만나다	만난 적이 있다
읽다	읽은 적이 있다	기다리다	기다린 적이 있다
★듣다	들은 적이 있다	여행하다	여행한 적이 있다
★붓다	부은 적이 있다	★살다	산 적이 있다

1) 가: 자전거를 탄 적이 있어요?
   나: 네. 자전거를 탄 적이 있어요.
2) 가: 한복을 입은 적이 있어요?
   나: 네. 한복을 입은 적이 있어요.
3) 가: 휴대폰을 잃어버린 적이 있어요?
   나: 네. 휴대폰을 잃어버린 적이 있어요.
4) 가: 얼굴이 부은 적이 있어요?
   나: 아니요. 얼굴이 부은 적이 없어요.
5) 가: 케이팝(K-POP)을 들은 적이 있어요?
   나: 아니요. 케이팝(K-POP)을 들은 적이 없어요.
6) 가: 불고기를 만든 적이 있어요?
   나: 아니요. 불고기를 만든 적이 없어요.

2) 10분 동안 쉴 거예요
3) 외국에서 1년 동안 공부할 거예요
4) 4일 동안 한국어 시험 준비를 했어요
5) 30분 동안 기다려야 해요

2) 가: 얼마 동안 한국어를 배웠어요
   나: 일 년 동안 배웠어요
3) 가: 며칠 동안 학교에 안 갔어요
   나: 4일 동안 학교에 안 갔어요
4) 가: 얼마 동안 아르바이트를 할 거예요
   나: 3주 동안 아르바이트를 할 거예요
5) 가: 몇 시간 동안 엔 서울 타워를 구경할 거예요
   나: 2시간 동안 구경할 거예요

1) ④
2) ④
3) ① 3일 동안
   ② 휴가 동안
   ③ 친구가 와서

④ 유명한 관광지를

⑤ 집에서 쉬면서

듣고 말하기 | 2번 | 69쪽

1) 요즘 제가 읽는 책이에요.

2) 좋은 여행지가 생각났어요.

3) 창문을 닦는 사람이 재민 씨예요.

4) 이번 휴가에는 국내 여행을 할 거예요.

읽기 | 1번 | 70쪽

1) ③

2) ④ → ② → ③ → ①

3) ① ✕

   ② ✕

쓰기 | 1번 | 71쪽

1) 바다 근처에 있어서

2) 구경하기가

3) 맛있는 조식을 먹어

4) 이 호텔에서 묵어

쓰기 | 2번 | 71쪽

　이 호텔은 바다 근처에 있어서 풍경이 아름다워요. 그래서 저는 부산에서 여행하는 동안 계속 이 호텔에서 묵었어요. 방은 조금 작지만 싸고 깨끗했어요. 그리고 호텔 주변에 유명한 여행지가 많아서 구경하기가 좋았어요. 또 직원들이 아주 친절해서 좋았어요. 제가 직원들에게 조식을 예약하는 방법을 물어봤을 때 정말 친절하게 알려 줬어요. 아름다운 풍경을 좋아하는 사람은 이 호텔에 한번 가 보세요.

12 박물관에서 도장을 만들어 봤어요

어휘와 표현 | 1번 | 72쪽

1) 멋있는 카페에 가요.

2) 기념품을 사요.

3) 경치가 아름다워요.

4) 구경거리가 많아요.

5) 전통 음식을 먹어요.

어휘와 표현 | 2번 | 72쪽

1) 음식이 입에 맞아서

2) 박물관에 가는

3) 쉬기에 좋았어요

4) 야경을 봤어요

문법 1 | 1번 | 73쪽

동사	-아 봤어요	동사	-어 봤어요	동사	해 봤어요
살다	살아 봤어요	먹다	먹어 봤어요	공부하다	공부해 봤어요
찾다	찾아 봤어요	마시다	마셔 봤어요	여행하다	여행해 봤어요
가다	가 봤어요	만들다	만들어 봤어요	요리하다	요리해 봤어요
사다	사 봤어요	배우다	배워 봤어요	운동하다	운동해 봤어요
만나다	만나 봤어요	★듣다	들어 봤어요	전화하다	전화해 봤어요

문법 1 | 2번 | 73쪽

2) 가: 삼계탕을 먹어 봤어요?

　　나: 네. 먹어 봤어요.

3) 가: 한국 커피를 마셔 봤어요?

　　나: 아니요. 못 마셔 봤어요.

4) 가: 바다에서 수영해 봤어요?

　　나: 아니요. 못 해 봤어요.

5) 가: 케이팝(K-POP)을 들어 봤어요?

　　나: 네. 들어 봤어요.

6) 가: 외국에서 여행해 봤어요?

　　나: 아니요. 못 해 봤어요.

7) 가: 한국 친구를 사귀어 봤어요?
나: 네. 사귀어 봤어요.

문법 2   1번   74쪽

동사	-은	동사	-ㄴ
먹다	먹은	보다	본
받다	받은	마시다	마신
읽다	읽은	만나다	만난
★듣다	들은	공부하다	공부한
★붓다	부은	★만들다	만든

문법 2   2번   74쪽

2) 산 모자예요
3) 선물로 받은 케이크예요
4) 본 야경이
5) 먹은 한국 음식
6) 만난 사람은

듣고 말하기   1번   75쪽

1) ②, ③
2) ③
3) ① 구경거리가 많아서
   ② 분위기도 좋았어요
   ③ 야경이 정말 아름다웠어요
   ④ 그림도 구경했어요
   ⑤ 프랑스 요리

듣고 말하기   2번   75쪽

1) ①
2) ①
3) ②
4) ③

읽기   1번   76쪽

1) ④
2) ② → ④ → ① → ③
3) ① ○
   ② ×

쓰기   1번   77쪽

1) 경치가 아름다웠습니다
2) 음식이 입에 맞아서
3) 분위기가 좋은
4) 기념품을 샀습니다

쓰기   2번   77쪽

저는 작년에 제주도에 다녀왔습니다. 제가 좋아하는 배우가 제주도에서 드라마를 찍어서 꼭 가 보고 싶었는데 정말 좋았습니다. 먼저 한라산에 가 봤는데 거기에서 본 경치가 아주 아름다웠습니다. 또 많은 음식을 먹어 봤는데 음식이 입에 맞아서 좋았습니다. 다음 날에는 돼지고기를 먹고 분위기가 좋은 카페에서 커피를 마셨습니다. 그리고 친구들에게 주려고 기념품도 샀습니다. 다음에 친구들하고 또 가고 싶습니다.

자료 출처
2A

| 게티이미지코리아 |

5과 34쪽_(블로그 안 사진, 좌로부터)② 　12과 72쪽_1번 4)(좌로부터)
①/③

| 셔터스톡 |

스피커 아이콘
말풍선
연필 아이콘
1과 6쪽; 7쪽; 10쪽_1번 2)③ 　2과 12쪽; 15쪽; 16쪽 　3과 18쪽; 21쪽;
22쪽_1번 상 　4과 24쪽; 28쪽; 29쪽 　5과 30쪽; 34쪽 　6과 36쪽_2
번; 40쪽 　7과 42쪽; 46쪽_1번 상(위로부터)①/②, 2)①/②/③ 　8과
48쪽; 52쪽 　10과 60쪽; 61쪽_2번 (보기)/1)/3)/4) 　11과 66쪽_1번
1)/3)/4)/5); 70쪽_1번 상, 2)②/④ 　12과 1번 1)/2)/3)/4)(좌로부터)②
/5); 72쪽; 76쪽_1번 상 　부록 79쪽

※ 이 교재는 산돌폰트 외 Ryu 고운한글돋움OTF, Ryu 고운한글바탕
OTF 등을 사용하여 제작되었습니다. Ryu 고운한글돋움OTF, Ryu 고
운한글바탕OTF 서체는 서체 디자이너 류양희 님에게서 제공 받았습
니다.

※ 강승희, 곽명주, 박가을, 이재영, 정원교 작가와 함께 작업했습니다.

세종한국어 | 익힘책 2A

기획	국립국어원	박미영 학예연구사
	국립국어원	조　은 학예연구사
집필	책임 집필	이정희 경희대학교 국제교육원 교수
	공동 집필	이수미 성균관대학교 학부대학 대우교수
		한윤정 경희대학교 K-컬처·스토리콘텐츠연구소 연구교수
		신범숙 서울대학교 언어교육원 대우전임강사
		민유미 서울대학교 언어교육원 대우전임강사
		윤세윤 경희대학교 국제교육원 객원교수
	집필 보조	김연희 경희대학교 국어국문학과 박사수료
		홍세화 경희대학교 국어국문학과 박사과정
		정성호 경희대학교 국어국문학과 박사수료
		서유리 경희대학교 국어국문학과 박사과정

발행　국립국어원
주소: (07511) 서울특별시 강서구 금낭화로 154
전화: +82(0)2-2669-9775
전송: +82(0)2-2669-9727
누리집: www.korean.go.kr

초판 1쇄 발행　　2022년 9월 1일
초판 4쇄 발행　　2024년 6월 7일

편집·제작　공앤박 주식회사
주소: (05116) 서울특별시 광진구 광나루로56길 85, 프라임센터 3411호
전화: +82(0)2-565-1531
전송: +82(0)2-6499-1801
누리집: www.kongnpark.com / www.BooksOnKorea.com(구매)

총괄	공경용
편집	이유진, 김세훈, 이진덕, 여인영, 김령희, 성수정, 최은정, 함소연
영문 편집	Sung A. Jung, Paulina Zolta, Kassandra Lefrancois-Brossard
디자인	오진경, 서은아, 이종우, 이승희
삽화	강승희, 곽명주, 박가을, 이재영, 정원교
관리·제작	공일석, 최진호
IT 자료	손대철
마케팅	윤성호

ISBN　978-89-97134-32-8 (14710)
ISBN　978-89-97134-21-2 (세트)